トガリ山のぼうけん ⑥

あいつのすず

いわむら かずお

理論社

もくじ

こんやも、トガリィじいさんのへやにやってきたのは、三びきのトガリネズミの子どもたちだ。名前は、キッキにセッセにクック。近くに住む、トガリィじいさんのまごたちだ。みんな、トガリィじいさんの話が大すき。

「よおし、トガリ山のぼうけんの、つづきをはじめよう」

トガリィじいさんが、じょうきげんでいった。

「わいわい、トガリ山のぼうけん！」

キッキがさけんだ。

「やったぜ」

セッセが、パチッとゆびを鳴らした。

「シャクトリムシのなやみの話！」

クックが目をかがやかせた。

「その話は、もうきいたろ」

セッセがいうと、

「じゃ、ウロロとミロロのなやみの話！」

クックが右手をつきあげた。

「それも、もうきいたじゃないか」

セッセが、口をとがらせて、クックをにらみつけた。

「じゃあ……」

クックが、てんじょうを見あげて考（かんが）えていると、

「つづきっていうのは、きのうきいた話の、その先の話っていったでしょ」

キッキが、まるでおかあさんみたいにいった。

「そうか。クックは、シャクトリムシやウロロやミロロのなやみの話が気にいったんだな。おもしろかったところは、またこんどきかせてあげるからな。さて、ゆうべはどこまで話したかな」

トガリィじいさんは、にこにこしながら、三びきの顔を見まわした。

「ウロロにのって、ぬしさまのところへ行ったんだ」

「シャクトリムシやトラッグミがなやみをうちあけにきていた」

「ナメクジやカメもイノシシの背中にのってやってきた」

「ウロロのひみつって、ミロロのことだったんだ」

「ミロロも、ウロロのことすきだったんだよ」

キッキとセッセがかわるがわるいった。

「セッセのひみつってなあに」

キッキがよこ目でセッセを見ると、

「べつに、そんなのないよ」

セッセが口をとがらせて、

「それじゃ、キッキのひみつは？」

といった。キッキが、

「ないしょ、ないしょ」

ひとさしゆびを口にあてると、

「えーと、クックのひみつは、おじいちゃんのこと」

クックがうれしそうにトガリィじいさんを見た。

「なに、それ」

キッキがにらみつけると、

「おじいちゃんがすきってこと」

クックがまじめな顔でいった。

「そんなのひみつじゃないだろ」

セッセがクックの頭をついた。

トガリィじいさんはわらいながらクックの頭をなでると、

「そうそう、ぬしさまのところにあいつもやってきて、テンやアカネズミをおそったんだっけな」

といった。

「ぬしさまのもとでは食いあわないってやくそくなのに」

「ふくろうにおそわれて、にげていったんだ」

キッキとセッセが立ちあがった。

「あいつ、どうしてるかな」

クックもしんぱいそうにいって立ちあがった。

「首のすずがじゃまなんだ、あいつ」

セッセがうでぐみをすると、

「それで、すずはどうなったの」

キッキがトガリィじいさんを見た。

「わかった。それじゃ、ゆうべのつづき、トガリ山のぼうけんの話をはじめるとしよう」

トガリィじいさんは、鼻をひくひくと動かして、めがねにちょっと手をやった。

1　トガリ山のよあけ

山道は森をぬけて、わしたちの上によあけの空がいっぱいに広がった。白い霧が山の斜面をはうように流れてきて、ナデシコがくきをしならせ、ピンクのほそい花びらをふるわせた。

山道には大きな石がゴロゴロころがっていて、石のあいだにハイマツが根をおろし、えだをひくくのばしていた。

「テント、てっぺんはもうすぐだぞ」

わしが息をはずませると、

「もうすぐだ、てっぺんは」

テントがわしの頭の上でさけんだ。

明るくなった東の空に、太陽はまだすがたを見せないが、流れてくる霧のあいだから、ときどき青い空が顔をのぞかせた。

青むらさきのシャジンの花が、水てきをいっぱいつけてさいていた。花をひきよせ、わしとテントは、そのしずくで顔をあらいのどをうるおした。

「テント、おなかすかないか」
「すいた、おなか」
わしとテントは、それぞれの朝ごはんをさがすことにした。テントはわしのてっぺんから、よあけの空へ飛び立っていった。わしはハイマツの下にもぐりこんだ。

ハイマツは石と石のあいだにしっかりと根をおろし、ハイマツがとぎれたところには、山の草がきそいあうようにはえ、白や黄やピンクの花をさかせていた。

ミミズは見つからなかった。小石をひっくりかえしたり、草の根もとをほったりしていて見つけたのは、小さなアオムシだった。リュックのほしミミズはあるが、これから先の食べものがしんぱいだ。テントもごちそうを見つけるのにくろうしているのか、なかなかもどってこない。

テントがもどってきてもすぐわかるようにと、わしが岩に上にのぼったときだ。とつぜん東の空の霧がは

れ、まっかな太陽がかがやいた。トガリ山の森のむこうにつらなる山なみの上から、ちょうどいま、のぼってくるところだった。

アカトンボが一ぴき飛んできて、わしの立っている岩のはじの方にとまり太陽を見つめた。羽も目玉も赤くそまっている。

すこしはなれた岩の上には、二羽の鳥がまいおりてきて、太陽を見つめた。黒い体の中の白いもようが赤くそまった。

みんなで太陽を見つめていると、風といっしょに西の谷から霧がかけのぼってきて、あっというまに太陽をかくしてしまった。アカトンボは風に吹かれ霧の中にきえ、二羽の鳥はまいあがった。

ガッ　ガッ　ガッ

二羽の鳥は鳴きながら、わしのいるすぐとなりの岩にやってきた。頭とつばさと尾は黒いが、体中に白いはんてんもようがある。トガリ山のふもとでは見たことのない鳥だ。二羽の鳥は、ものめずらしそうにわしを見つめた。

「太陽、きえてしまったね」

わしが話しかけると、
二羽の鳥はたがいに顔を見あわせた。

「おまえさん……」

一羽がいいかけて首をのばすと、

「どこのトガリネズミだい」

もう一羽が首をかしげた。

「ふもとのトガリネズミさ。これからトガリ山のてっぺんにのぼるんだ」

ガッ　ガッ　ガッ
二羽の鳥はおどろいたように顔を見あわせた。

「きみたち、ふもとでは見かけない鳥だけど……」

わしがいうと、二羽の鳥はまた顔を見あわせて、

「トガリ山の……」

「ホシガラス……」

と、じゅんにいった。

ホシガラス、はじめてきく名だった。

「ホシ、ガラス？　星のガラスみたいだね」

わしがいうと、二羽のホシガラスは顔を見あわせて、

「星のガラスじゃない、星の鳥だよ」

「ガラスじゃない、カラスだよ」

といって、ガッ、ガッとわらった。

「星の鳥？」

「そう、夜空に光る星の鳥」

「流れ星の鳥さ」

二羽のホシガラスはまた顔を見あわせると、一羽が話しはじめた。

「大昔の話、あたしらの祖先も、まっ黒なカラスだった。ある夜のことだ。トガリ山のてっぺん近くの谷で、みんなよりそってねむっていると、天からたくさんの流れ星がおちてきたのだよ。なんでも、天の川がこう水をおこし、そのあふれでた星が、トガリ山の谷にふ

りそそいだというんだ。祖先(そせん)たちは星のこう水(ずい)のうずにまかれ流(なが)されていった。朝(あさ)になりいのちをとりとめたものたちが、ハイマツの上で目をさました」

二羽のホシガラスは、霧(きり)にかすむハイマツのしげみを見おろした。風(かぜ)が吹(ふ)いてきて、ぬれたハイマツの葉(は)の先がふるえた。

「そして、朝日(あさひ)がさしこむと、たがいの体の中に、くだけた星つぶがキラキラかがやいているのに気がついたのだよ」

二羽のホシガラスはつばさを広げ、体中の白い星のもようをあけて見せた。風(かぜ)が吹(ふ)いて、星のもようの一つぶが、霧(きり)の中に飛(と)んでいったように見えた。

「トガリィ」

どこかで、かすかにテントの声(こえ)がした。わしが立っている岩(いわ)のはじっこの、小さなわれ目のかげに、テントがもどってきていた。

「あの鳥、ぼくを食(た)べる?」

テントが小声でいった。ホシガラスはテントの声がきこえたらしく、

「いまはテントウムシは食べないよ。ハイマツがたくさん実をつけているからね」

といってあたりを見まわした。

つよい風が吹いて、霧がいきおいよくハイマツの上をかけぬけた。霧の中に太陽が白くうかびあがった。わしたちはだまって白い太陽を見つめた。

やがて霧は東の谷にすいこまれ、夏の日ざしがまたわしたちの上にてりつけてきた。

「見えた、トガリ山」

テントがさけんだ。ふりむくと、すぐそこにトガリ山がそそり立っていた。てっぺんにかかった雲が天にむかってわき立ち、ゆっくりと動いていた。空がぬけるように青かった。

2　あいつのたのみ

「さあ、トガリ山のてっぺんにのぼるんだ」

「のぼるんだ、てっぺんに」

テントがわしの肩の上にのぼってきたときだ。

カロン　カロン　カロリン
下の方から、あの音がきこえてきた。

「あいつ！」

わしとテントはどうじにさけんだ。二羽のホシガラスはけげんな顔でわしたちを見て、首をのばし山道をのぞきこんだ。

カロン　カロリン　カロン　カロリン
すがたは見えないが、あいつの音がゆっくりのぼってくる。二羽のホシガラスは顔を見あわせ首をかしげた。わしは岩の上に体をふせた。

きゅうに日がかげり、あいつの音がやんだ。西の谷からかけあがってきた霧が、たちまちあたりをつつみこみ、なにも見えなくしてしまった。ホシガラスが、ガガと小声で鳴いた。わしは耳をすまし、霧の中のあ

いつのけはいをさぐった。

カロン　カロン

とつぜん、すぐ近くですずが鳴ったかと思うと、あいつの顔が半分岩の上にあらわれた。わしはびっくりしてとびのき、しりもちをついた。

ガッ　ガッ　ガッ

二羽のホシガラスもおどろいてまいあがった。わしはゆっくり立ちあがり身がまえた。テントがわしの肩にしがみついた。

あいつの顔はゆっくりと岩の上にのぼってきて、首のすずが見えたところでとまった。顔の両がわの手が岩につめを立てている。わしがにげようとすると、

「まって、まってくれ、山のネズミさん」

あいつがわざとらしい声でいった。わしはあいつの顔を見ながら、すこしずつあとずさりをした。

霧が東の谷へ走りさって、日ざしがもどった。あいつの顔によこから朝日があたり、ピンとのびたひげが

銀いろに光った。

「たのみがあるんだ。おれの話をきいてください、山のネズミさん」

あいつはすがるような目つきでわしを見つめた。

「そんなことをいって、ぼくを食べるつもりだろ」

わしはあいつの目をにらみつけた。

「食べるつもりだろ、トガリィを」

テントもわしの肩の上でさけんだ。

「と、とんでもない。いまは食べません」

あいつはかた手を顔の前でふってみせた。

「いまは⁉」

やっぱりしんようできない。わしはあいつに背をむけ、岩の上を走り、ハイマツの中にとびこんだ。

「まってくれ、おい、山のネズミ、トガリィさん」

カロン　カロン　カロリン
あいつも、ハイマツの中につっこんだらしい。

カロン　カロン　カロン　カロン

あいつのすずがはげしく鳴った。ハイマツの葉と、くねったえだや根っこに足をとられ、もがいているようだ。ハイマツの中なら、あいつより体の小さいわしのほうが、す早く動くことができる。

わしは岩のすきまににげこんで耳をすました。あいつのすずの音が、しずかな朝の高原にひびいた。

「まって、まって、まってくれ。山のネズミ、おれのたのみをきいてくれ」

あいつはハイマツの中で立ちどまり、すがたの見えないわしにむかってさけんだ。

ガッ　ガッ　ガッ　ガッ

すぐ近くでホシガラスたちの声がきこえた。

「ほこり高き山ネコとなり、
生きることこそわが人生と、
心にちかいしわれなれど」

カロン　カロリン

あいつは、ハイマツをかきわけながら、なにやらか

ってにしゃべりはじめた。
「山のネズミ……
山のネズミは食わねども、
山のけものをつかまえて食い、
山の鳥をつかまえて食い、
生きることこそわが人生と、
心にちかいしわれなれど」
カロン　カロリン
あいつの声は、すんだ朝の空気の中をつきぬけ、こだまとなって谷間にすいこまれていった。
「ああ、くちおしや首のすず、
鳴ればにげゆく山のネズミ、
鳴ればにげゆく山の鳥」
カロン　カロリン
「首のすずさえなかったら」
カロン　カロン　カロリン
岩のすきまから顔をだしてのぞいてみると、あいつ

はしきりに手で首のすずをたたいていた。風が吹いてきて、トラノオの花がゆれ朝のしずくがこぼれおちた。

「あいつのたのみってなんだろう。首のすずのことだろうか」

「首のすずのことだ、たのみって」

テントが肩の上でいった。

「このぼくに、すずをはずしてくれとたのむつもりなんだ」

「つもりなんだ、たのむ」

「でも、はずしてやったとたん、あいつはぼくを食べるにきまっている」

「きまっている、食べるに」

わしとテントは考えこんだ。

カロン
またすずが鳴ってそれきりしずかになった。

「あいつ、なにしてるんだ」

「なにしてるんだ、ぼく見てくる」

テントはわしのてっぺんによじのぼると、
「えい！」
といって飛び立った。
霧はすっかりはれて、テントの体いっぱいに朝日が
あたった。テントは青い空の上でくるりとひとまわり
すると、すぐもどってきた。
「あいつ、そこの岩の上。こっちを見ている」
すると、
カロン　カロン　カロン
カロン　カロン　カロン
すずがつづけて鳴った。
「なにしてるんだ、見てくる」
テントはまたわしのてっぺんから
飛び立った。そしてすぐおりてくると、
「トガリィ、見てごらん」
といった。
わしはそっと岩の上にのぼった。

カロン　カロン　カロン

すずをはげしく鳴(な)らし、あいつは首を岩にこすりつけていた。どうやら、すずのついたリボンをきろうとしているらしい。

カロン　カロリン　カロン

岩にこすりつけては手でひっぱって、ひきちぎろうとするのだが、リボンはきれない。

あいつはふうとため息(いき)をついて、

「なやみをうちあければ、
きっと道(みち)はひらけると、
イノシシのとっつぁんにおしえられ、
たどりつきしぬしさまのもと」

あいつはだれにいうでもなく、ひとり岩の上にすわると、しゃべりはじめた。

「はらをすかし、
テンやネズミについ手をだして、
山のおきてをやぶりしは、

わがおちど」
あいつは、わしたちが見ているのに気がついたのか、
ちらっとよこ目でこっちを見て、
「山のおきてにしたがいて、
山のネコとなるために、
はずさねばならぬ首(くび)のすず」
カロン
手でかるくすずにさわって、
「トガリ山のてっぺんを、
めざしてのぼるトガリネズミに、
たのむがいいとはぬしさまのおことば」
あいつはふりかえり森を見おろして、それからわしたちをよこ目で見た。アカトンボが飛(と)んできて、あいつの頭(あたま)の上にうかんだ。
カロン
あいつはあごを上にむけ、首のすずを鳴(な)らすと、
「たのむ、山のネズミ、トガリネズミさん」

アカトンボには目もくれず、わしの方に顔をむけた。
アカトンボは朝日の中に飛びさった。わしは岩のすき
まにかくれた。
「そうか、
すずをとったそのあとで、
とって食ってすずしい顔。
それじゃとてもたまらねえと、
うたがうのもむりのないこと。
ト、トガリィさん」
カロン
あいつはきゅうにネコなで声になって、
「先をおいそぎとは思えども、
首のすずをはずす前に、
おれの話をきいてやってくだされ、
ト、トガリィさん」
カロン
と頭をさげた。

3　あいつの話・1

「見しらぬお方に身の上話、
耳ざわりとは思えども、
みじめなやつと見はなす前に、
ちょっとばかりその身になって、
きいてやっておくんなさい」
カロン　カロリン
あいつは、うしろ足のあいだに前足をそろえてすわると、しんみょうな顔で話しはじめた。
「もとはといえば人間に、
愛されかわれたカイネコで、
その名もゆかしき、
スズキ・ムニエル」
カロン　カロリン
わしが岩のすきまから顔をだすと、あいつはあごをなため前につきだし、かるくおじぎをした。
わしはわれ目をつたって、あいつのいるとなりの岩の上にのぼった。

あいつは、うれしそうに口もとでほほえむと、話をつづけた。
「首にすずをぶらさげて、
キャットフードをあてがわれ、
ぶらぶらくらす気らくなまい日」
カロン　カロン
一度どこかへ飛んでいった二羽のホシガラスが、わしたちのいるよこの岩にもどってきた。
「これはどうも、山のカラスさん。
朝っぱらからあさはかな、
あさましいやつとあざわらわずに、
どうぞいっしょに、
きいてやっておくんなさい」
カロン　カロリン
あいつはホシガラスにもおじぎをして、
「さて、カイネコといっても、
山でくらすみなさんには、

なんのことかわからねえ。
つまり、その、カイネコとは、
人間にエサをもらって生きるネコ」
カロン
「エサをもらう？」
わしとテントが首をかしげると、
二羽のホシガラスも首をかしげた。
「朝食うエサはブレックファースト、
ひる食うエサはランランランチ、
夜食うエサはディナーでぃな。
キャットフードは食べほうだい。
ビーフにチキンにシーチキン、
きちんと食べてまるまるふとり、
びょうきでいくのがびょういんで、
めかしに行くのがびよういん」
カロン　カロン
「めかしに行く？」

わしとテントが首をかしげると、二羽のホシガラスも、ガッ、ガッ、と鳴いて首をかしげた。

「おっと、めかすというのは……、つまり、その、すなわち、それは、ようするに、そうそう、いわゆる、毛づくろい。カットにシャンプー、ブラッシング、毛なみもただしくうつくしく、めかして、すまして、びよういん」

カロン　カロリン
「カットにシャンプー？」

「シング、ブラッ？」

わしとテントが首をかしげると、二羽のホシガラスも、ガッ、ガッ、と鳴いて首をかしげた。

「その、びよういんに、かわれていたのがうつくしき、愛らしきメスネコ、その名もうるわしき、

サトウ・サブリナ」
カロン　カロン
わしとテントが顔を見あわせると、二羽の
ホシガラスもたがいに顔を見あわせた。
「白きその毛はゆらめいて、
ふかくつもりし朝の雪。
みどりのひとみはかがやいて、
わきいずる森の泉。
おお、うるわしきサブリナ」
カロン　カロリン
二羽のホシガラスがちょっと羽を広げ、
ガッ、ガッと鳴いた。
「恋はせつなくくるおしく、
心みだれしさみだれの、
はれまにあわき月のかげ」
カロン
あいつはうつむきかげんの顔をあげ、青い空を見あ

げた。高くのぼった太陽が、あいつのよこ顔につよい光をあてた。
「いかにつたえんこの思い、
いかにとらえんかの心。
スズキさんちのテーブルから、
ぬすみいだししスズキのムニエル、
わが名とおなじスズキ・ムニエル」
カロン
あいつは首をうなだれた。
「スズキのムニエル？」
「ムニエル？」
わしとテントが首をかしげると、二羽のホシガラスも、ガッ、ガッ、と鳴いて首をかしげた。
「おっと、
スズキというのは海の魚、
こむぎこにまぶし、
バターでやくのがムニエル」

カロン
「こむぎこ?まぶす?」
「やく?バター?」
わしたちには、なんのことかさっぱりわからない。
スズキ・ムニエルはあいつの名で、スズキのムニエルはなにやらうまい食べものらしい。あいつは赤いしたで、うわ口びるをちょっとなめて、
「あつき思いのプレゼント、
口にくわえしやきたてムニエル、
ネコじたの心もあつき夜の道」
カロン
あいつはかた手をむねにやって、

「わがあつき思いもつうじぬかた思い。
やきたての魚など食うものかと、
見むきもせずなめもせず、
においもかがずサブリナが、
つめたく見はなすまどのそと。

あわき月かげなみだにくもり、
やがてそぼふるさみだれに、
ぬれてさまようみだれがみ」
カロン
あいつはますます首をうなだれて、
「うらきどをそっと肩でおしあけて、
ざぶとんにぬれた体でうずくまり、
うずく心をうでにだき、
うとうとすればうなされて、
はっとうしろをふりむけば」
あいつははっとしたように首をのばし、
「このネコすててこ、
どろぼうネコすててこ、
ステテコすがたでどなりしは、
スズキさんちのおとうさん」
カロン　カロン　カロン
あいつはかなしそうに目を見ひらいた。

わしもテントも二羽のホシガラスも、
だまってあいつを見つめた。
「くるまにのせられて、
ゆられゆられて、
ゆうやみせまる見しらぬ町かど。
よび名もかわる、
ステネコ・ムニエル」
カロン
「ステネコ?」
「ステテコ?」
わしとテントが首をかしげると、二羽のホシガラスも、ガッ、ガッ、と鳴いて首をかしげた。

「スズキさんにもサブリナにもすてられて、あいつってかわいそう」

キッキが顔をくもらせた。

「すてられちゃうなんて、やだよな」

セッセが口をとがらせると、

「ぼくたちは、かわれてないから、すてられないよね」

クックが、しんけんな顔でトガリイじいさんを見た。

「そうか、おれたちは人間にかわれてないから、カイネズミにもステネズミにもならないんだ」

セッセがむねをはった。

「人間って、なんでもすてちゃうんだね。ネコとかごちそうとか」

クックが首をかしげた。

「あたし、森で人間がすてたもの見たことある」

キッキがいうと、

「おれもある。いっぱいおちてるぞ。人間がつくったものってなかなかくさらないんだ。いつまでもころがってる」

セッセがうなずいた。

「人間がすてたもの食べて、びょうきになったタヌキがいるってきいた」

キッキがまた顔をくもらせた。

「ぼくは人間のすてたものなんか食べないよ。山のミミズがいちばん」

クックがこしに手をやって、トガリィじいさんを見た。

4　あいつの話・2

西の谷から気もちのいい風が吹いてきて、ウスユキソウの花がゆれた。あいつは両耳をちょっとさげて、風が行きすぎるのをまった。

「ポイッとすてられしその日から、
だれもくれないブレックファースト、
だれもくれないランランランランチ、
ディナーもくれない、日はくれる。
風に吹かれ雨にぬれ、
さまよい歩くうらどおり、
あけてはあさるゴミぶくろ」

カロン

「ゴミぶくろ?」

あいつは、わしたちが首をかしげたのを気にもとめず、

「かえるあてもやねもなく、
なくなくさがす一夜のねぐら。
ほね身にしみる風のつめたさ、
世間のつめたさ、

足のつめのつめたさ」
カロン
あいつは首をうなだれわしたちに目をやると、
思(おも)いなおしたように背(せ)すじをのばして、
「だが、
ある日ふとであったノラネコ・サブ。
生きるゆうきをこのおれに、
あたえてさりしノラネコ・サブ」
カロン　カロリン
「ノラネコ？」
わしとテントが首をかしげると、二羽(わ)のホシガラス
も、ガッ、ガッ、と鳴(な)いて首をかしげた。
「おっと、
ノラネコが山のものにはわからねえ。
かわれているのがカイネコで、
かわれてないのがノラネコ。
食(く)いものもねぐらも恋人(こいびと)も、

じぶんでさがし生きるネコ。
人間からのひとり立ち、
自由に生きることこそ、
ノラネコの人生と、
われをはげますノラネコ・サブ」
カロン　カロリン
あいつはねていた耳をぴんと立て、青い空を見あげた。どこか遠くから、ツクツクボウシの鳴く声がきこえてきた。
「食いものも、ねぐらも、恋人も、じぶんでさがして生きるって、一人前ってことじゃないの」
　わしがいうと、
「そうそう、それ、一人前。
ノラネコとなり自由に生きてこそ、
一人前のネコ」
カロン　カロリン
あいつはあごをつきだし、うなずきながらわしを見

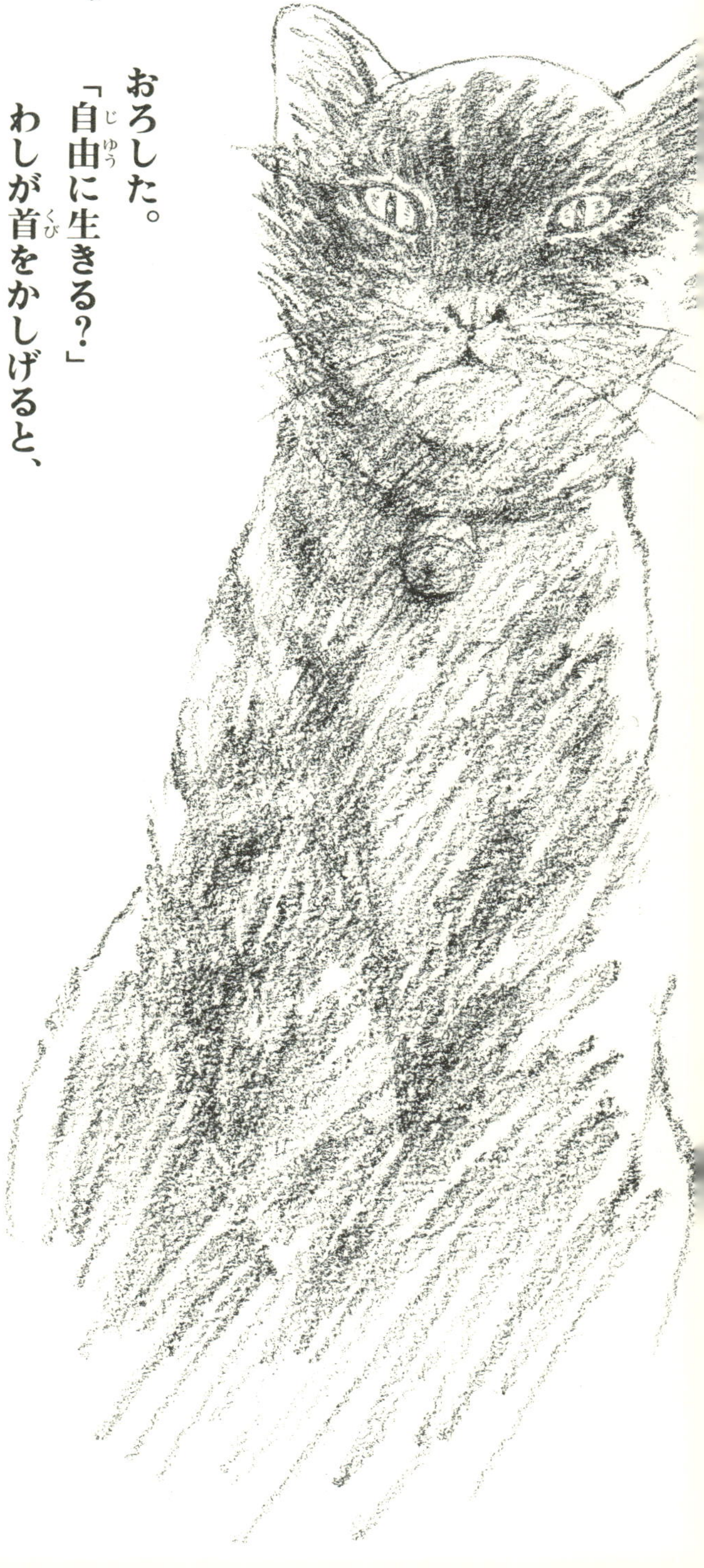

おろした。

「自由に生きる？」

わしが首をかしげると、

「じゆう……」

テントがつぶやいた。

ガッ　ガッ　ガッ
二羽のホシガラスが首をかしげ顔を見あわせた。

「おっと、
自由が自由なものにはわからねえ。

じぶんのことはじぶんできめて、
じぶんのことはじぶんでやるのが自由。
じぶんのことがじぶんできめられず、
じぶんのことがじぶんでできないのが不自由」
カロリン
太陽がずいぶん高くのぼって、あいつのうしろに、
朝の光がいっぱいあふれていた。ものしりのあいつが
なんだかりっぱに見えてきた。
「不自由なカイネコのくらしをすて、
みじめなステネコのくらしをわすれ、
自由なノラネコとして生きようと、
心にきめしその日から、
よび名もかわる、
ノラネコ・ムニエル」
カロン　カロリン
あいつはちょっとあごをつきだしてみせ、
「はらがへったらうらどおり、

山とつまれたゴミぶくろ、
人間がポイポイすてたごちそうは、
フライドチキンにスパゲティ、
まぐろのさしみににぎりずし、
カレーライスにやきそばに、
ハンバーガーにソーセージ、
バナナにオレンジ、
ドーナツ、ケーキ、
たらふく食べて気ままなくらし」
カロン　カロン
あいつはしたなめずりをして空を見あげた。
「フライドチキンニスパゲティ？」
わしが首をかしげると、
「カレーのさしみにぎりやきそば？」
テントも首をかしげた。
ハン　バー　ガッ　ガッ
二羽のホシガラスが、きみょうな声で鳴いて首をか

しげた。

「おっと、
山のものにはわからねぇ、
人間のくらし、ネコのくらし、町のくらし。
トリにく、ブタにく、たまごに魚、
こめにむぎに、だいこん、かぼちゃ、
なんでも食うのが、
人間のくらし、ネコのくらし、町のくらし」

カロリン

「なんでも食う……」

わしがつぶやくと、二羽のホシガラスも、
ガッ、ガッ、と鳴いて顔を見あわせた。

「ところがある日、
心に吹きしすきま風、
ぬけてさびしい心のすきま、
自由気ままなノラネコの、
くらしにたりねぇものがある。

かいぬしに愛されかわれたカイネコの、
あまい日びがわすれられねぇ」
カロン
あいつは顔をよこにむけ目をつむって、
「そんなある日、
なにげなく入りこんだしばい小屋、
『あらかわいいノラネコちゃん』と、
だかれてぬくもるうでの中、
そのままいついて旅から旅へ、
べんとうのシャケのほねをあてがわれ、
ねころびすごすぶたいうら、
いつのまにか身につきしこの口調。
いつの日かよび名もかわる。
ヒロワレ・ヨサブロウ」
カロン　カロリン
あいつは首をまげ、よこ目でわしたちを見た。
「しばい小屋？ぶたいうら？」

わしが首をかしげると、

「ヨサブロウ・ヒロワレ……」

テントがつぶやいた。二羽のホシガラスが、ガッ、ガッ、と鳴いて顔を見あわせた。

「おっと、
山のものにはわからねぇ、
しばいはすなわちげきのこと、
人間が人間に見せるつくりごと、
うそとしりつつたのしむもの」
カロン

あいつがせつめいすればするほど、わしにはますますわからなくなる。わしがしきりに首をかしげていると、

「山のネズミにわからないのもむりはねぇ、
カイネコだったこのおれにも、
さっぱりわからないのが人間」
カロン

あいつもうでぐみをして首をかしげた。

「うそとしりつったのしむなんて、人間はかわった生きものだ」

わしもうでぐみをして、人間という動物(どうぶつ)のすがたを思(おも)いうかべていた。

「生きものだ、かわった……」

テントがつぶやくと、二羽(わ)のホシガラスが、ガッ、ガッ、と鳴(な)いて顔(かお)を見あわせた。

「さて、
話のつづきをきいてくれ。
ある日ある夜あるいなか町、
ふとであったメスネコ・オキク。
ミケの毛なみはなめらかに、
くろいひとみはおくふかく、
ピンクの鼻はしっとりと、
ひと目ぼれとはこのことと、
ひと目はばかる恋のみち」
カロン
あいつはちょっとてれて、
かた手をおでこにやると、
「恋はせつなくくるおしく、
心みだれし旅の空、
われをわすれてうわの空、
三ヶ月うかぶよいの空、
ついそすごした三日と三ばん。

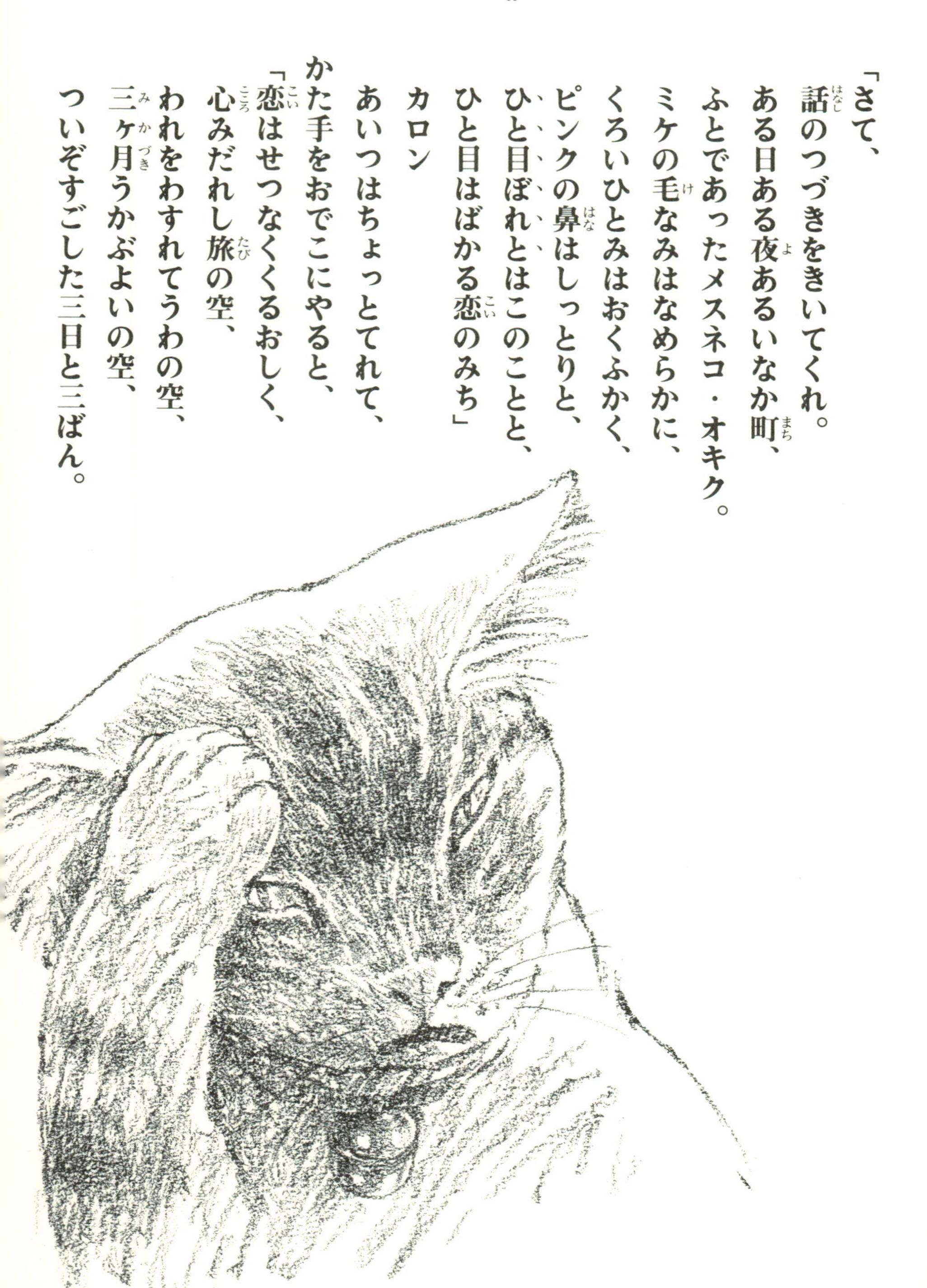

かえってみればあとかたもなく、
きえて旅立ちしばしばい小屋」
カロン　カロリン
あいつはかた手をむねにあてて
空を見あげ、首をふった。
ガッ　ガッ　ガッ
二羽のホシガラスがきみょうな声でわらった。
あいつはうわ目づかいにホシガラスを見て、
かまわず話をつづけた。
「またもとのノラにもどってひとりぼち、
自由なくらしというけれど、
人間にどなられいぬにほえられ、
ぬすんだ魚をむさぼるみじめさ。
ほこりもきえてたたずむゆうぐれ、
よび名もかわる、
ドロボウネコのヨサブロウ」
カロン

あいつは首をふかくうなだれ足もとを見つめた。

「ドロボウネコ？」

わしとテントが首をかしげると、二羽のホシガラスが、ガッ、ガッ、と鳴いて顔を見あわせた。

「自由があっても、
食いものがなけりゃ生きられねえ。

食いものがあっても、
ほこりがなけりゃ生きられねえ」

カロン　カロリン
あいつはうなだれていた首をゆっくりとあげた。

「ほこり？」

わしが首をかしげると、

「ほこり……」

テントがつぶやいた。

「そう、ほこり。

生きるもののほこり」

あいつは、

こんどはぐっとむねをはってみせて、
「生きものが生きものらしく生きるには、
生きもののほこりってものがたいせつ」
あいつが空を見あげると、朝の風が
吹いてきてハイマツの葉をゆらした。
あいつは気もちよさそうに
目をほそめた。
「その朝、
空は青くすみきって、
ひとり目ざめし草はらで、
ひとりあおぎしトガリ山、
高くそびえしトガリ山、
われをまねきしトガリ山。
ほこり高き山ネコとなり、
生きることこそわが人生と、
心にちかいしその旅立ち。
いつの日か、

よび名もかわる、
山ネコ・ヨサブロウ」

あいつは足を岩の上にふんばって首をまわし、トガリ山を見あげた。

ガッ　ガッ　ガッ

二羽のホシガラスが、岩の上で羽をバタバタと鳴らした。

「そうか、それでトガリ山にのぼってきたというわけなのか」

わしもトガリ山を見あげた。

「ヨサブロウ・山ネコ……」

テントがあいつのまねをして、かっこうつけていった。トガリ山のてっぺんの白い雲が、朝日をあびてうずをまいていた。

5　あいつのすず

「それで、ここからがおれのたのみ、きいてくれ、山のネズミ、トガリィさん」
あいつは、岩の上から身をのりだすようにして頭をさげた。青空の中からイワヒバリが一羽飛びだしてきて、あいつのうしろをひくく飛んだ。あいつは岩の上で両手をそろえすわりなおすと、
「ほこり高き山ネコとなり、
生きることこそわが人生と、
心にちかいしわれなれど、
ああ、くちおしや首のすず、
鳴ればにげゆく山のネ……、
いや、
鳴ればにげゆく山のけもの、
鳴ればにげゆく山の鳥、
山のけものを
つかまえて食い、
山の鳥をつかまえて

食ってこそ、ほこり高き山ネコ」
カロリン
「ああ、くちおしや首のすず、首のすずさえなかったら」
カロン　カロリン
あいつはあごを上にむけ、首のすずをかた手でむしるようにたたいた。
「たのむ、トガリネズミさん、首のすずをとってくれ。ゆうきとやさしさと、かしこさと身がるさと、するどいはをもったトガリネズミこそが、そなたのなやみをかいけつするであろうとは、ぬしさまのおことば。たのむ、トガリネズミさん、トガリィさん、首のすずをとってくれえー」
カロン　カロン　カロン
あいつはあごを上にむけたまま、こんどははげしく首をふってすずを鳴らした。
ほんとうにぬしさまがそういったのだろうか。とにかく、ここでわしがすずをとってやらなければ、あいつはからをすかして死んでしまうかもしれない。だが、すずをとってやれば、わしはそのばでガブリと食われてしまうにちがいない。いったいどうしたらいいのだろう。

「テント、どうしよう」

わしは頭の上にのぼってきたテントに小声でいった。

「どうしよう、トガリィ」

テントもこまった声でいった。ガッ、ガッ、二羽のホシガラスがしんぱいそうに鳴いた。

「よし、わかった。ヨサブロウ！」

わしは思いきって大声でさけんだ。わしははじめてあいつの名をよんだ。あいつははっとしたように首すじをのばし、目を大きく見ひらいた。

「すずをはずしても、ぼくを食わないとやくそくするか！」

わしがむねをはると、あいつはのばした首をまるめて、

「食わない、食わない、やくそくする、トガリィさん」

と頭をさげた。

「それじゃ、ヨサブロウ。その岩の下におり、首から上だけ岩の上にだす。手は岩の下においたままだぞ、いいな」

わしは二、三歩あいつに近づき、大声でめいれいした。すこしだけじぶんがつよくなったような気がした。

「いいな、おいたままだぞ」

テントも頭の上でさけんだ。ガッ、ガッ、二羽のホシガラスが鳴くと、どこからかべつの四羽のホシガラスが飛んできて、二羽のよこにならんでとまった。

あいつはいわれたとおり岩をおりると、すずを岩の上におくようにあごをつきだした。わしがあいつの岩によじのぼっていくと、あいつは目玉だけ動かしてわしを見た。

「テント、上を飛んで、ようすを見ていてくれないか」

わしはあいつのやくそくが、まだしんようできなか

った。あいつはあごをつきだしたまま、じっとわしの動きをみまもっている。六羽のホシガラスたちが、近い岩にいい場所をうつして、ガッ、ガッと小声で鳴いた。

わしは岩の上をゆっくり歩いて、あいつに近づいた。あいつは耳をたいらにし、目の上もたいらにして、わしを見おろしている。

近くで見ると、すずは思ったより大きかった。あい

つのヒゲがわしをとりかこむようにして、朝日をうけて光っていた。わしはこわかった。なにしろ、わしはあいつのあごの下にいるのだからな。

すずは首にまかれた赤いリボンにつけられていた。わしはリボンをかみきることにした。

「しっかり、トガリィ」

テントが、あいつの顔のよこにまいおりてきてさけんだ。あいつはじっとおとなしくしている。

夢中になってリボンをくいちぎっているうちに、いつのまにかこわさをわすれてしまった。

「そろそろよさそうだぞ」

わしはボロボロになったリボンを両手でつかみ、思いきりひっぱった。

カロン　カロン　カロン　カロン

すずが大きな音をたててころがった。わしはちぎれたリボンをつかんだまましりもちをついた。

カロン　カロリン　カロン　カロン　カロリン

すずはまるで生きものみたいにはずんで、岩と岩のあいだにころがりおちた。六羽のホシガラスたちが、ガッ、ガッ、ガッ、と鳴いた。

「やっととれた」

わしはしりもちをついたまま、あいつの顔を見あげた。あいつは、すずがころがりおちていった岩のあいだをのぞきこんでいた。

地の底にすいこまれるようにすずの音がきえたとき、あいつはゆっくり顔をこっちにむけた。あいつの目は、あらあらしくかがやいていた。

「トガリィ、あぶない！」

テントのさけび声がきこえたのとどうじに、あいつの手がわしにおそいかかってきた。わしがとっさにとびのくと、

ガリッ！

あいつのつめが岩をひっかく音がきこえた。わしは岩の上を思いきりはねて、ハイマツの中にとびおりた。すぐあとから、あいつの手がつっこんできた。

「トガリィ、にげろ！」

テントがさけび、

ガッ　ガッ　ガッ　ガッ　ガッ　ガッ

ホシガラスたちがさわぎたてているのがきこえた。

わしはハイマツの根っこのあいだをくぐりぬけ、トラノオの花の下を走り、石から石へとびうつり、ツメクサの花をかきわけ、岩と岩のすきまを走った。だが、なんという身がるさ。いつのまにか先まわりしたあいつの顔が、目の前にまちぶせている。わしはあわてて

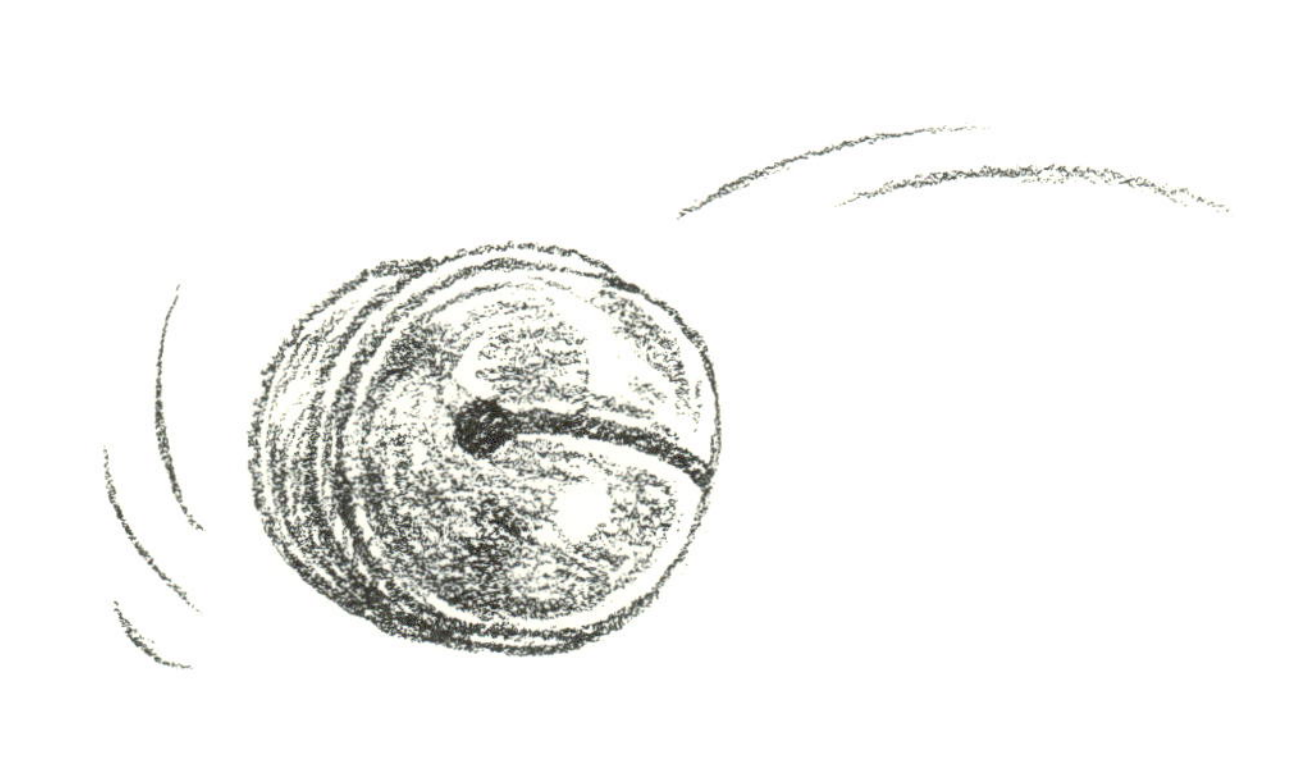

とびはね、むきをかえる。

カロン、カロンというあの音がきこえないから、あいつがどこにいるかわからない。いくすじにもわかれている岩のすきまを、ぬうように走りそとにとびだすと、

ガリッ！

わしをつかみそこなったあいつのつめが、わしのすぐわきで音をたてる。

ガッ　ガッ　ガッ　ガッ　ガッ　ガッ

六羽のホシガラスたちが飛びまわっている。

大きな岩の下に小さなあながあるのを見つけもぐりこんだ。ツメクサの白い花がさいていて、あなを見えにくくしてる。中はふかく、もしあいつが手をさしこんできても、のがれることができそうだ。わしはあらい息をしながら、そこにうずくまった。

「トガリィ、トガリィ」

入口でテントの声がした。

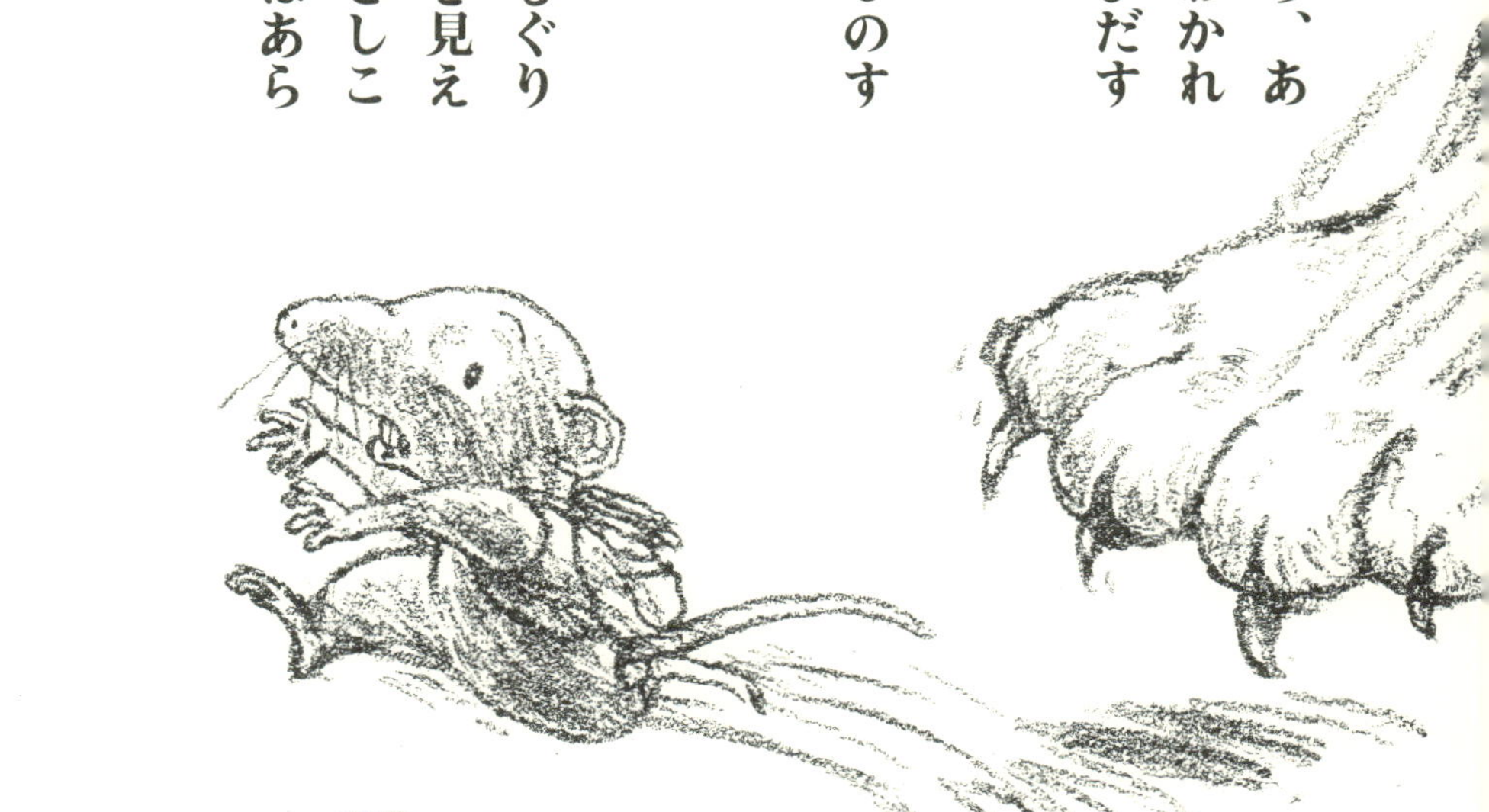

「テント、ここだよ」

わしは声をひそめてよんだ。

「あいつ、岩の前にすわってまちぶせている」

テントはわしのうでをつたって肩にのぼってきた。

ガッ　ガッ　ガッ　ガッ　ガッ　ガッ
そとから、ホシガラスたちのさわぎたてる声がきこえてくる。

わしははらがたった。けして手をださないとやくそくしたのに、なんというおんしらずだ。がまんがならない。

「やい、ヨサブロウ」

わしはそとにむかって大声でどなった。

「おおうそつきのヨサブロウ。やくそくもまもれなくて、なにがほこり高き山ネコだ！」

「山ネコだ、なにが！」

テントもさけんだ。あいつはだまっている。

「そこにいるのはわかっている！」

「わかっている！」

「まっていてもむださ。ぼくはでていかないよ！」

「でていかないよ、ぼくも！」

ツメクサの花に飛(と)んできたハチが、ブーンと羽(はね)を鳴(な)らした。

「目の前の山のネズミを食(く)わずして、
なにが山ネコ。
山のネズミを食ってこそ、
ほこり高き山ネコとなるのだ」

あいつのかっこうつけたひくい声がきこえてきた。

「やくそくやぶるなんて、ひどいやつだ」

セッセがおこっていった。

「おおうそつきのヨサブロウ」

クックもにぎりこぶしをつきだしてさけんだ。

「はじめから、やくそくをまもる気なんかなかったんじゃない。あいつだって、生きるためには、だれかのいのちを食べなきゃならないんだよ」

キッキがいうと、

「じゃ、食わないなんて、やくそくしなきゃいいんだ」

セッセが口をとがらせた。

「でも、それじゃ、すずをとってもらえないじゃないか」

キッキはセッセをよこ目で見て、

「あいつ、すずがとれたら身がるになって、気もちがかわったのかもしれない」

むねにあてていた両手をひろげた。

「でも、カロン、カロンと鳴らないと、あいつじゃないみたいだ」

クックがうつむいた。

「あいつ、これでほんとに、山ネコになれるかな」

セッセがうでぐみをして、首をかしげた。

「それで、すずはどこへころがっていったの」

クックが、トガリィじいさんのひざに手をおいた。

6　モグラのモラ

こうなったらあいつとのこんくらべだ。わしたちはあなの中でひとねむりした。

目をさますと、ホシガラスたちはどこかへ飛んでいってしまったのか、あなのそとはしずかになっている。

「あいつ、まだいるかな……」

わしは足をしのばせ入口まで行って、そとをのぞいた。

「いる、あいつ」

頭の上でテントがささやいた。ツメクサの葉ごしに、両手をそろえ岩の前にすわっているあいつが見えた。あいつはじっとこっちを見つめている。背中に朝日があたり、体のりんかくが白くかがやいて見える。

わしはゆっくりあとずさりをして、あなのおくにもどった。

「どうしよう、テント」

わしは土の上にすわりこんだ。

「トガリィ、どうしよう」

テントもわしの肩の上におりてきてすわりこんだ。

「そうだ！」

テントが小さな手をたたいて、

「くさいのも、さいのう」

といった。

「くさいのもさいのう？」

わしがテントの顔をのぞきこむと、

「トガリネズミはくせえくせえ、食えたもんじゃねえって、キツネがいってた」

テントがいった。

「そうか、ここで、くさいのうというぼくのさいのうをいかす。そうだろ、テント」

テントはうなずいて、

「食えない、さいのう」

とわらった。わしは入口の近くまで行くと、そとにむかってさけんだ。

「ヨサブロウ、まっていてもむだだぞ。ぼくはけしてでていかない。それに、ヨサブロウはマチのネコ、ト

ガリネズミはくさくて食えないって
ことをしらないんだろう」
「しらないんだろう、ヨサブロウ」
テントも大声でいった。すると、そとからあいつの
声がきこえてきた。
「そんなことじゃだまされねぇ、
じゃまされねぇ、
おれは山ネコ・ヨサブロウ」
あいつはここで、ちょっと首をひねってみせている
のだろうけれど、もうカロンとすずは鳴らない。
「カイネコからステネコに、
ノラネコからタビのネコ、
旅から旅へまたたびへ、
ネコにマタタビやくしゃにシロタビ、
わたりあるいたかずかずの人生。
たとえひとはだましても、

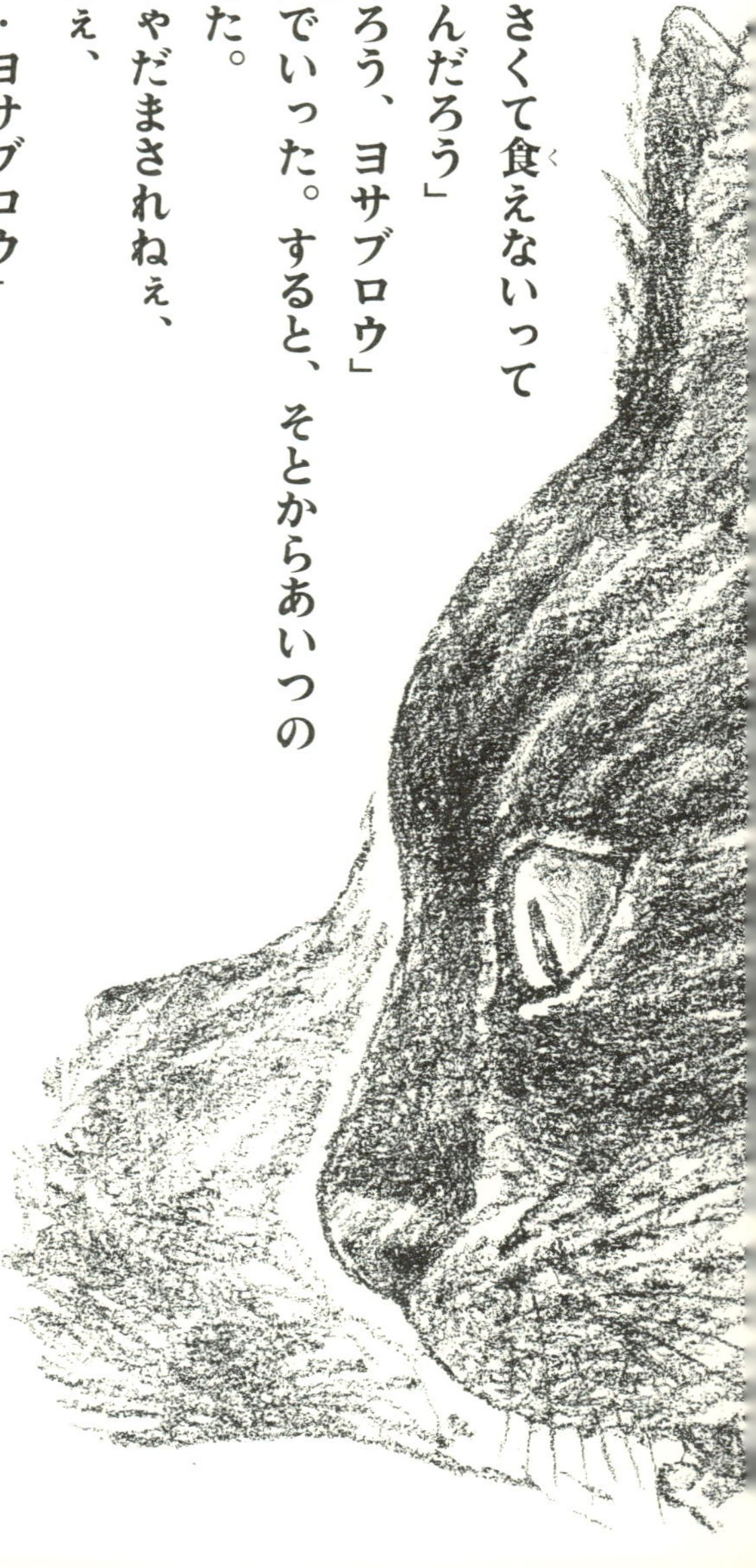

ひとにゃけしてだまされねぇ。

そっちがでてこなけりゃ、
こっちは山のキノコ、
じっとマツタケ、まつだけ」

あいつはあなの入口に顔を近づけていった。

「こりゃ、だめだ」

わしはそのばにすわりこんだ。

「だめだ、こりゃ」

テントもわしの耳もとでつぶやいた。

「ほかにも出口があるかもしれない。もっとおくへ行ってみようか」

わしは気をとりなおして立ちあがった。

おくにすすむにつれて、あなの中はだんだんくらくなって、やがてまっくらになった。わしは手さぐりでゆっくりとすすんでいった。あなはすこしくだり坂になって、またたいらになった。

土のにおいのほかに、だれかのにおいがするのに気

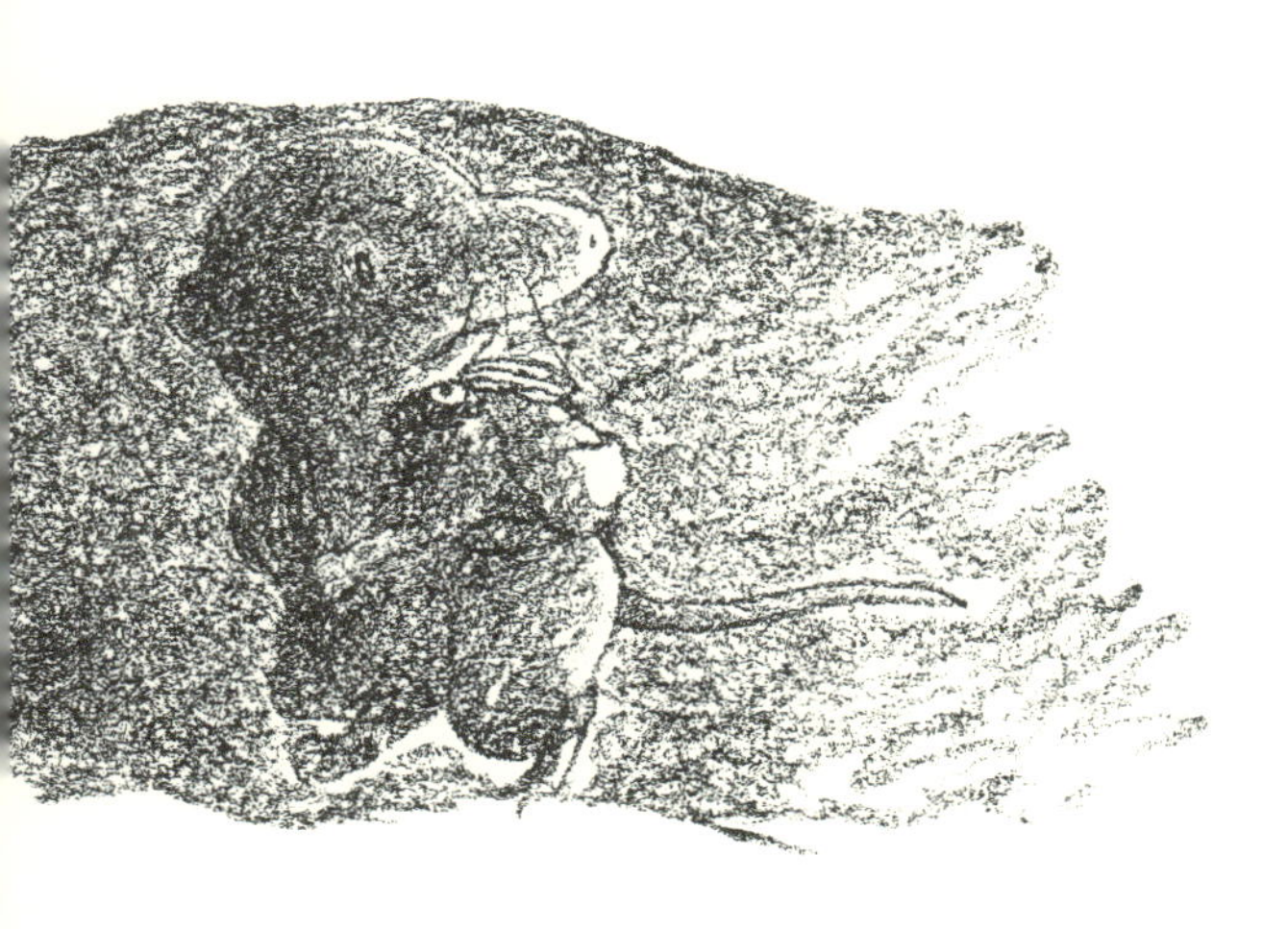

がついた。鼻をひくひく動かしていると、

「だれ？」

くらやみの中で声がした。わしは背中をかべにつけ、耳をすました。

「あたしのうちに、かってに入ってきたのは、だれ？」

声がすこしずつわしたちの方に近づいてきた。わしがあとずさりをすると、

「あんた、トガリネズミだね」

すぐそばで声がした。わしはあわてて、

「は、はい、トガリネズミのトガリィ……」

というと、テントも、

「テントウムシのテント」

とくらやみにむかっていった。

「おや、トガリネズミとテントウムシ？」

なにか考えているのか、声はちょっと間をおいて、

「あんたたち、前にも一度、ここにきたことはないかい？」

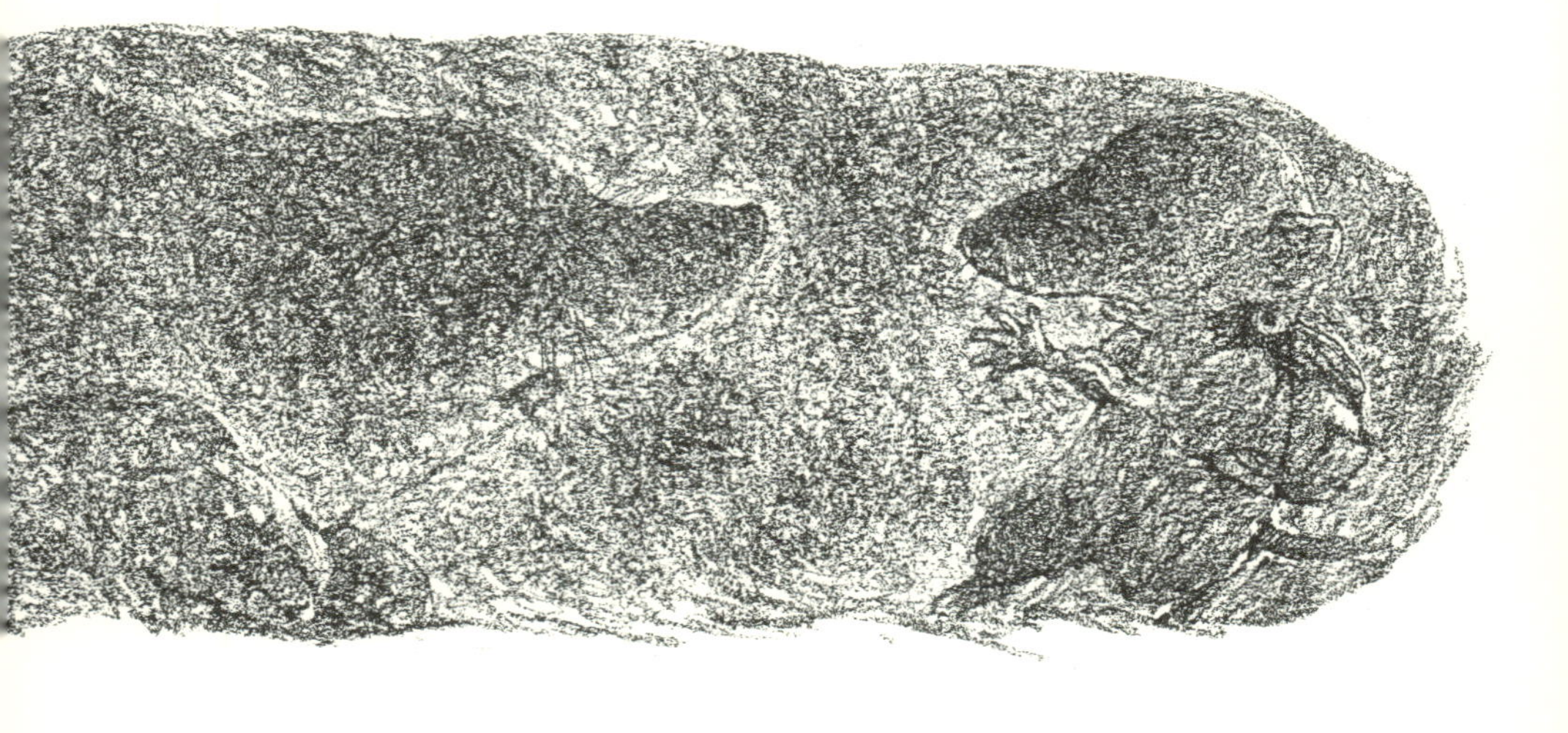

といった。

「ぼくたち、はじめてです」

「ふしぎなことがあるものだ。おなじトガリネズミとテントウムシのふたりづれが、あたしのうちにまよいこんできたことがあったのさ」

「おなじトガリネズミとテントウムシのふたりづれ？」

「そうさ。なんだか、トガリ山のてっぺんへのぼるとかいってたよ」

　声ははじめよりいくらかやさしくなった。

「えっ、トガリ山のてっぺんへ！」

「てっぺんへ！」

　わしとテントはおどろいていった。

「ぼくたちも、これからトガリ山へのぼるところなんだ」

「おや、それはぐうぜんだね。それとも、トガリネズミとテントウムシっていうのは、みんなトガリ山のてっぺんへのぼりたがるものなのかねぇ」

「それ、ぼくのおとうさんかおじいさんかもしれない」

わしがいうと、

「ぼくのおとうさんかおじいさん？　それ」

テントもうれしそうにいった。

「ぼくたちトガリィ家のものは、わかいときに一度は、トガリ山にのぼるよういいつたえられてきたんだ。ぼくたちの祖先がうまれたトガリ山のてっぺんにね」

「祖先？祖先といえば、モグラとトガリネズミはおなじ祖先をもつしんせきだってことをしってるかい」

モグラはとてもやさしい声になって、

「そうだ、あんたたち、もっとおくにこないかい。あたしは、モラっていうんだよ。よろしくね」

といううと、もそもそとあとずさりをはじめたようすだ。まっくらですがたは見えないが、けはいでわかる。わしとテントはくらやみの中を、モラについて入っていった。あなのおくはいくらか広くなっていて、ミミズのにおいがした。

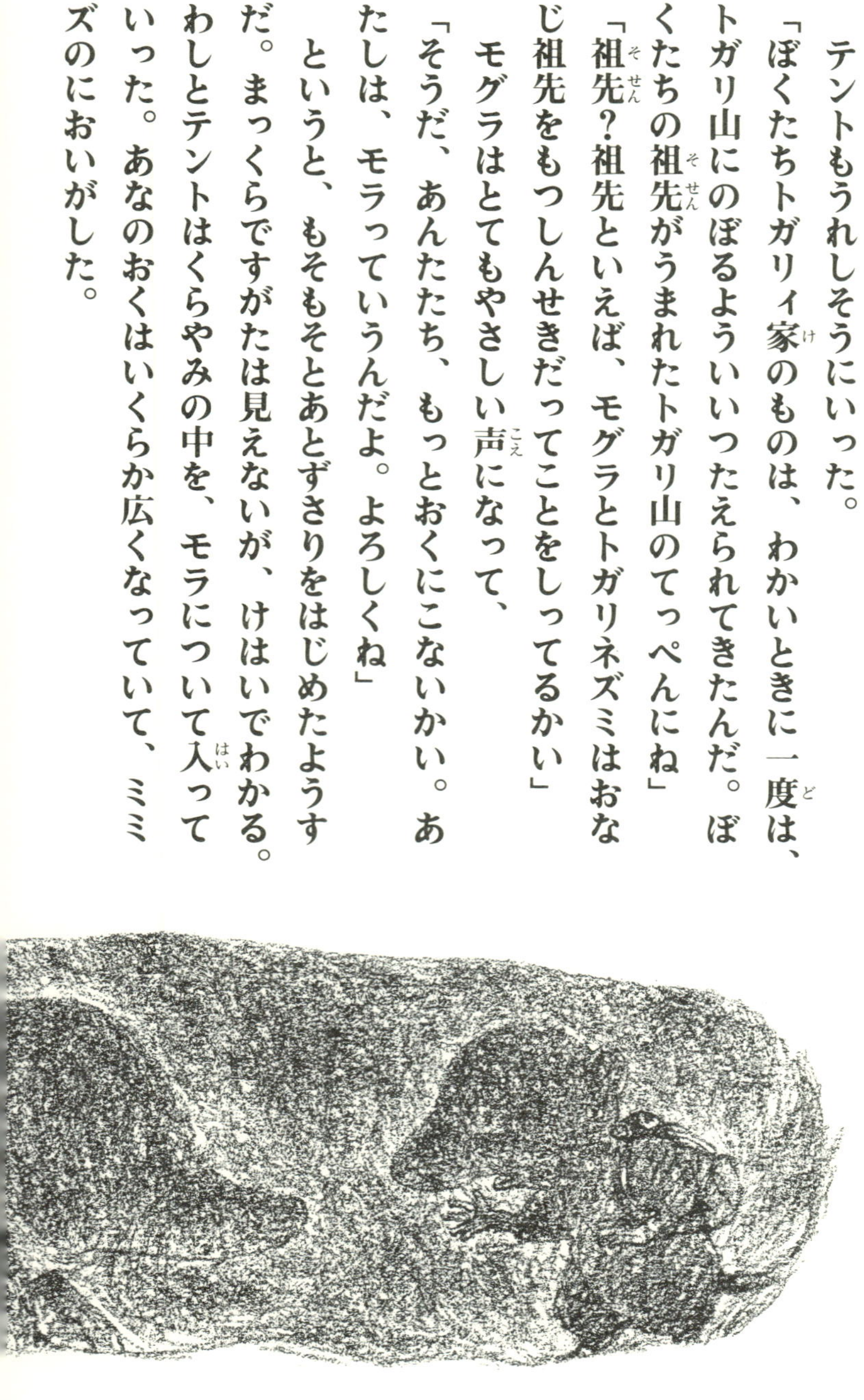

「トガリィはミミズすきかい」

　モラがごそごそ体を動かしながらいった。

「もちろん」

「やっぱりね、しんせきは食べるものもおなじさ。これをお食べ」

　モラがわしの手にわたしてくれたのは生きたままのミミズだった。わしはあいつにおいかけられたあとで、ちょうどおなかがすいていたからうれしかった。

「にがさないように、ころさないように、ミミズの頭をちょっとかじって、あなのおくにしまっておくのさ」

　モラはもう一ぴきミミズをひっぱりだしているらしい。

「ところで、テントはなにを食べるんだい」

「ぼく、アブラムシ」

「そうか、アブラムシはここにはいないな……」

「ぼく、いまはだいじょうぶ。あとでさがす」

　テントがわしの肩の上でいった。

「それであんたたち、どうしてあたしのうちにまよいこんだんだい」

モラがミミズをほうばりながらいった。

「ネコにおいかけられたんだ。夢中でにげこんだのがモラのうちだった」

「ネコ?ネコなんて動物、このあたりにはいないはずだがね」

モラが首をかしげながらミミズをのみこんだ。

「そうなんだ。もともとは町にいたカイネコで、ステネコになりノラネコになりタビのネコになった。そしてある日、山ネコになろうとけっしんしたとかなんとかいっていた」

わしもあばれるミミズを、両手でしっかりつかみほうばった。

「カイネコだかノラネコだかしらないが、かわったやつだね。それでそのネコ、あんたを食べようとしたのかね」

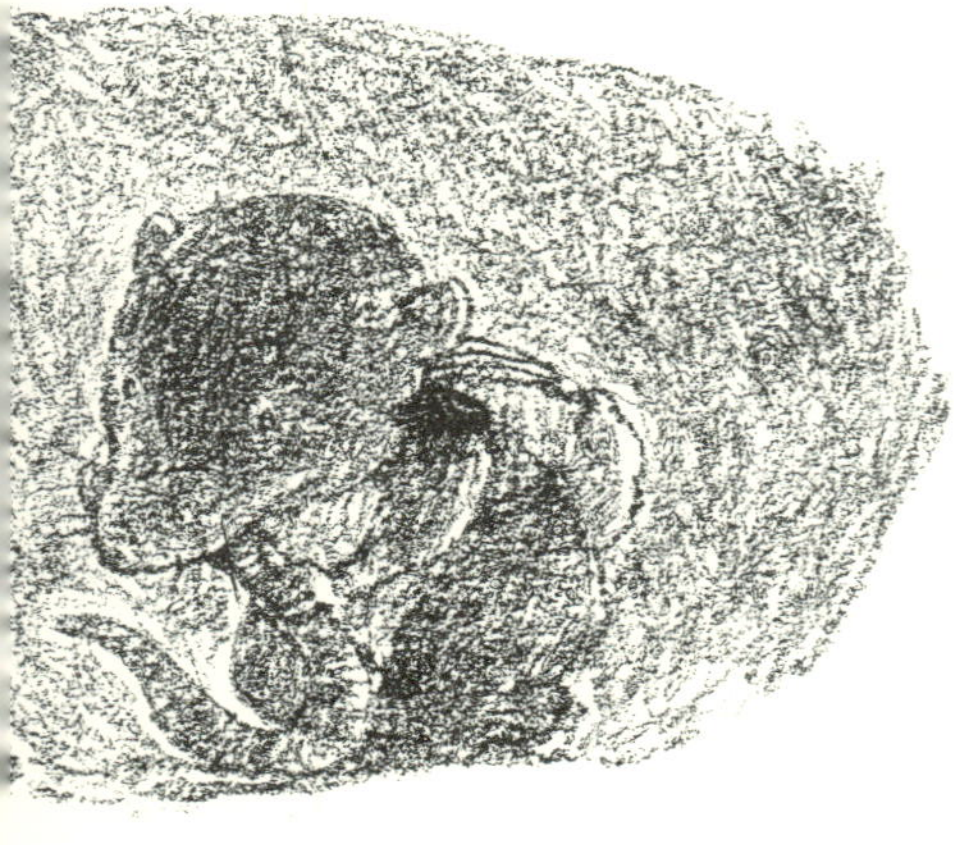

「そう。あいつは首にすずをぶらさげていて、これじゃ山ネコになれない、とってくれとたのむんだ。けしてぼくを食べないとやくそくするから、すずをとってやると、すぐにガリッとつめをたててきた」

「あいつ、うそつき」

テントが口をとがらせた。わしもまたはらがたってきた。

「やくそくをやぶったくせに、山のネズミを食ってこそ山のネコ、とかいってかっこうつけているのさ」

「そうか、さっききこえた、カロン、カロンという音は、そのすずの音だったんだね。ふーん、山のネズミを食ってこそ山のネコか。あたしはこの山のミミズのおかげで、山のモグラってわけだ」

モラはとちゅうまで食べたミミズをもちかえて、ながめた。

7 ポッタン ピン

「そりゃこまったね」

ミミズを食べおわるとモラがいった。

「いいことがある。べつの出口をおしえてあげる。このごろつかってないけど、このおくにも、出口があるの、ついてきて」

モラはおしりをふりながら、あなのおくへすすんでいった。いつも体のどこかが、かべにさわっていると安心だとモラはいった。

「あなの中って、くらくてせまぜましていて、気もちがいいでしょ」

モラの声がおしりのむこうからきこえる。

「せまぜま?」

テントがわらうと、

「そう、あたしたちモグラは、広いところがきらい。せまいところにいると気もちがおちつくの」

あながきゅうなのぼりになった。

「ぼくは、ひろびろが、いい気分」

テントが、わしの肩につかまっていった。

「ここであながわかれているの。左の方をずっと行くと、どんどんのぼって、たいらになったところに出口があるわ」

モラは右のあなへ頭を入れ、こんどはおしりから左のあなに入ってむきをかえた。

「出口までおくっていけるといいけど、あたし、ひるの光がにがてで、ごめんね」

「ありがとう、モラ」

「モラ、ありがとう」

「じゃ、気をつけて」

わしとテントはモラとわかれると、くらいあなの中をゆっくりとすすんでいった。

しばらく行くと、あながきゅうにせまくなった。わしひとりやっととおれるほどのすきましかない。モラはしばらくつかっていないといってたけれど、土がくずれたのだろうか。

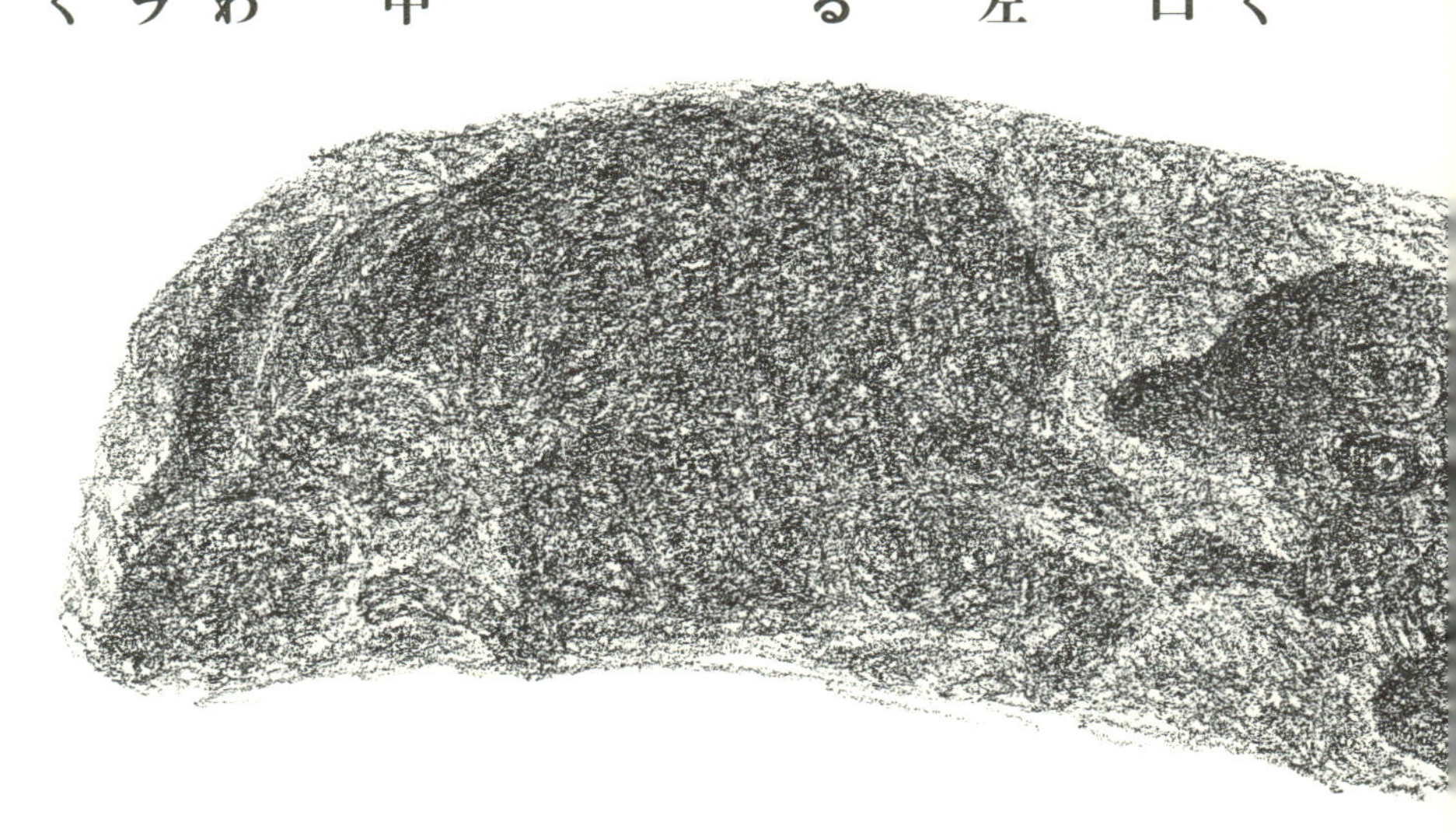

すぐにひきかえせばよかったのだ。もうすこし、もうすこしと思っているうちに、あなはますますせまくなり、とうとう前にすすめなくなった。

「だめだテント、ひきかえそう」

「ひきかえそう、トガリィ」

といったものの、体のむきをかえることもできない。わしはしかたなく、ゆっくりあとずさりをはじめた。だが、モラみたいには、うまくうしろむきにすすめない。どんどん土の中にうまっていくだけだ。

そのうち、わしの体は土にすっぽりつつまれてしまった。わしは夢中でおしりをふって、あなをさがした。すると、とつぜん、まわりの土が動きはじめ、わしの体は土といっしょにすべりはじめた。

「ああっ！」

わしの体がちゅうにういた。

「わあ――っ！」

「ひい――っ！」

わしとテントの声があたりにひびいた。いくら手足をふっても、つかまるものはなにもなかった。わしとテントは、くらやみの中をおちていった。

わしは目をあけた。だが、なにも見えない。まだゆめの中なのだろうか。ぼんやりした頭で考えた。

わしはひげにさわり、目をこすった。そうだ、くらやみの中におちたんだ。すこしずつ記おくがもどってきた。気をうしなったまま、しばらくそこにたおれていたのだろう。

ゆっくり体をおこしてみた。さいわい肩がすこしいたむくらいで、たいしたけがはなさそうだ。わしは、おちてきたやわらかい土の上にたおれていたのだ。

どのくらい時間がたったのだろう。いまが朝なのか、ひるなのか、夜なのか、さっぱりわからない。

テントはどこへ行ったのだろう。

「テント……、テント……」

よんでみたがへんじがない。わしは立ちあがって、あたりのようすをさぐった。頭がくらくらする。

ポッタン　ピン

ポッタン　ピン

くらやみの中で音がする。水がおちる音だろう。ここはどこだ。

「テント……、テント……」

いくらよんでも、かえってくるのは水の音だけだ。わしは、手や足や、鼻や耳や、ひげやシッポに気もちをあつめながら、土の山をおりた。

くらやみの中をゆっくり歩いていくと、地面はザラザラした石になった。水にぬれている。

ポッタン　ピン

ポッタン　ピン

さっきからきこえていた水の音が、だんだん近づいてきた。すると、

チップチップチップチップチップ

こんどは右のおくの方から、せっかちな水の音がきこえてきた。そして左のおくからは、

タポン

…………

タポン

…………

のんびりした水の音がきこえてきた。くらやみの中にいくつものへやがあり、水たちが、いまうまれおちているところなのかもしれない。ミズスマシがいっていた、水がうまれるところって、ここのことなのだろうか。わしは立ちどまり、じっと耳をすました。

ポッタン　ピン

タポン…………

チップチップチップ

ポッタン　ピン

チップチップチップ

タポン…………

水たちの音楽会のようだ。

水の音に近づくと、しぶきが顔にとびちった。足もとに水がたまっていた。

ポッタン　ピン

ポッタン　ピン
ピン　ポッタン
おや？
ポッタン　ピン
ポッタン　ピン
ピン　ポッタン
水の音にまじって、きみょうな声がする。
ポッタン　ピン
ピン　ポッタン
ポッタン　ピン
ピン　ポッタン
はは一ん、わかったぞ。わしは水の音にあわせて、
そっとよんでみた。
ポッタン　ピン
ポッタン　ピン
「テント　テント、ポッタン　ピン」
すると、

ポッタン　ピン
ポッタン　ピン
「トガリィ　トガリィ、ピン　ポッタン」

水の音といっしょにテントの声がきこえた。よかった。わしはうれしくなって、

「テント、テント、ポッタン　ピン」

とうたいながら、テントの声に近づいていった。のばした手に石のはしらがさわった。

「トガリィ、トガリィ、ピン　ポッタン」

はしらの上でテントがうたった。

「テント、あえてよかった。もう、見つからないかと思ったよ」

わしが手をさしだすと、

「よかった、トガリィ」

テントがうでをつたって、わしの肩にもどってきた。

「テント、テント、ポッタン　ピン」

「トガリィ、トガリィ、ピン　ポッタン」

チップチップチップ
ポッタン　ピン
タポン…………
チップチップチップ
ポッタン　ピン
わしとテントは、まっくらな地の底におちてしまったこともわすれて、水たちといっしょにうたった。
すると、とつぜんなにかが、わしの頭をかすめるように飛んだ。
ヒイッ
それはかすかな音をのこして、くらやみの中に飛びさった。
「いまの、なんだろう」
「なんだろう、いまの」
わしとテントは耳をすました。

8　くらやみの国

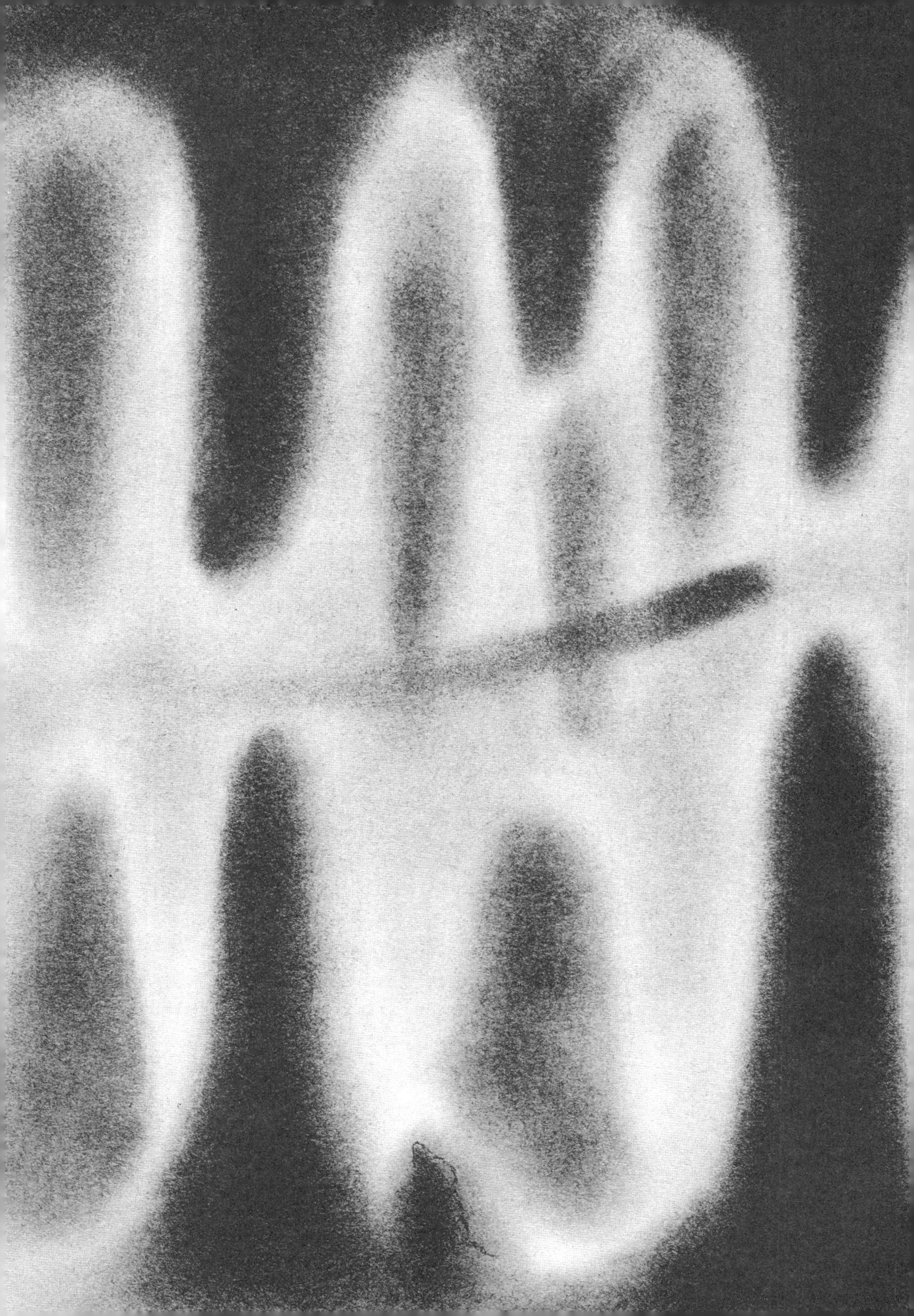

わしは石のはしらに体をよせて、あたりのようすをさぐった。水たちの音の中に、ヒイッというかすかな音をさがした。

「きた……」

テントがわしの耳もとでささやいた。

ヒイッ　ヒイッ

かすかな音は、さっきよりずっと高いところを飛んだ。二ひきいるようだ。

「またきた」

テントがおびえたようにささやいた。わしは石のはしらの根もとにしゃがみこんだ。

ヒイッ　ヒイッ　ヒイッ

音はわしたちのすぐ上をかすめた。こんどは三びきのようだ。

くらやみの中を飛ぶ生きもの、鳥か虫か、それともけものか、いったいなにものだ。

きっと、またもどってくるにちがいない。

わしたちはじっとそこにうずくまって
ようすをうかがっていた。

しばらくすると、だれかのささやきあう声が、上の方からきこえてきた。


「なんだ、そこにいるやつ」

「コウモリ？」

「ちがう、つばさがないぜ」

「じゃ、なにものだ」

「モグラ？」

「ちがう、目が大きいぜ」

「じゃ、なにものだ」

「ネズミ？」

「ちがう、鼻が長いぜ」


声のちがいからすると、どうやら三びきの生きものたちがしゃべっているらしい。


「じゃ、なにものだ」

「なにものなんだ」

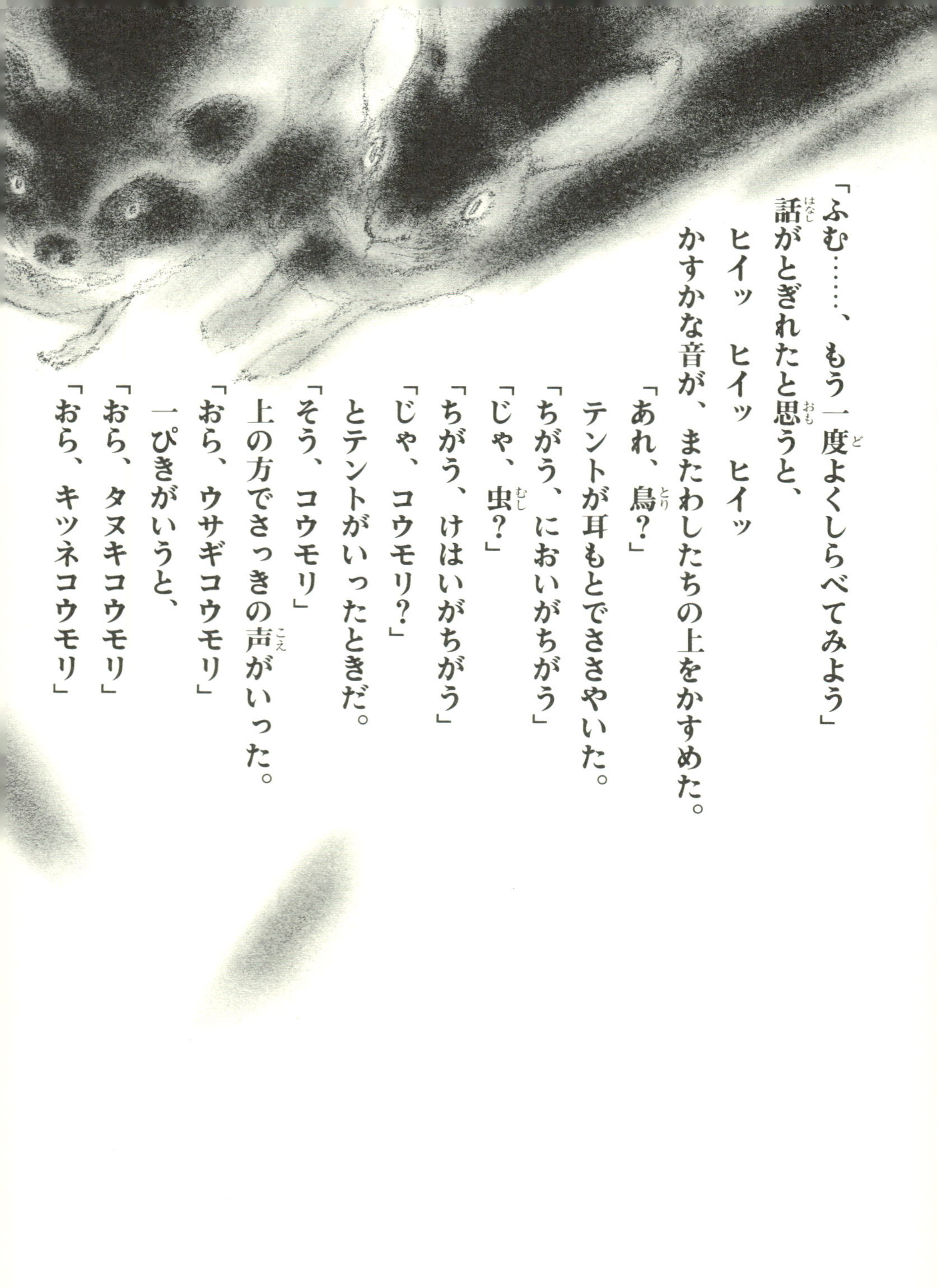

「ふむ……、もう一度よくしらべてみよう」

話がとぎれたと思うと、
ヒイッ　ヒイッ　ヒイッ
かすかな音が、またわしたちの上をかすめた。

「あれ、鳥？」

テントが耳もとでささやいた。

「ちがう、においがちがう」

「じゃ、虫？」

「ちがう、けはいがちがう」

「じゃ、コウモリ？」

とテントがいったときだ。

「そう、コウモリ」

上の方でさっきの声がいった。

「おら、ウサギコウモリ」

一ぴきがいうと、

「おら、タヌキコウモリ」

「おら、キツネコウモリ」

あとの二ひきがいって、ウヒッ、ウヒッとわらった。くらやみの中だから、コウモリたちがどんな顔をしているのかわからない。

「ウサギとタヌキとキツネ?」

テントがつぶやくと、

「ウサギといっても、耳が長いだけさ」

ウサギコウモリの声がそっけなくいった。

「タヌキといっても、目のまわりが黒いだけさ」

「キツネといっても、口がとがっているだけさ」

タヌキコウモリとキツネコウモリの声が、ウヒッ、ウヒッとわらった。

「おまえ、トガリネズミか。いっしょにいるのはテントウムシだな」

ウサギコウモリが、こちらをうかがっているようす。くらやみの中でもわしたちがわかるらしい。

「あやしいトガリネズミ」

「あやしいテントウムシ」

タヌキコウモリとキツネコウモリの声がからかうようにいった。わしはあわてて、

「ぼくたち、あやしくなんかない。モグラのあなからでようとして、まちがっておちてしまったんだ」

くらやみの中の見えないあいてにむかっていった。

「モグラのあな！」

「まちがえておちた？」

タヌキコウモリとキツネコウモリの声が、ばかにするようにいって、ウヒッ、ウヒッとわらった。

「あやしいやつらだ。もっとなかまをよぼう」

ウサギコウモリの声がささやくと、しずかになった。三びきはどこかに飛びさったらしい。

「どうしよう、テント」

「トガリィ、どうしよう」

にげようにも、ようすのわからないくらやみの中、どうしたらいいのだろう。

コウモリたちはすぐにもどってきた。

ヒイッ　ヒイッ　ヒイッ
ヒイッ　ヒイッ　ヒイッ
かすかな音がわしたちの頭の上をかすめた。

そしてコウモリたちは、どこか上の方にとまったらしい。

「どう思う、ウマヅラコウモリ」

ウサギコウモリの声がささやくと、

「なにかたくらんでいるヅラ」

ウマヅラコウモリらしい声がささやきかえした。

「どう思う、ブタヅラコウモリ」

タヌキコウモリの声がウヒッとわらうと、

「たくらんでいるヅラ」

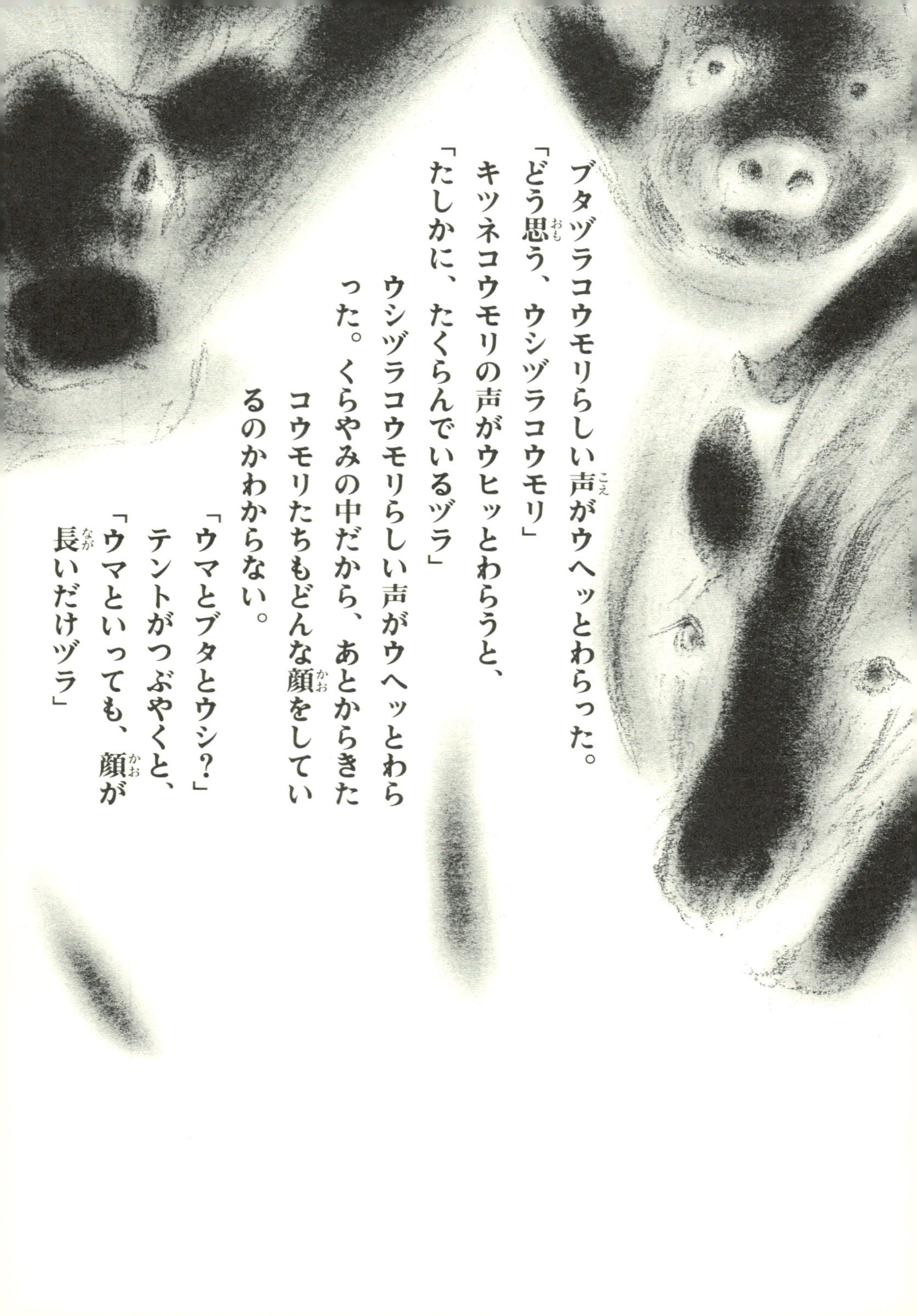

ブタヅラコウモリらしい声がウヘッとわらった。

「どう思う、ウシヅラコウモリ」

キツネコウモリの声がウヒッとわらうと、

「たしかに、たくらんでいるヅラ」

ウシヅラコウモリらしい声がウヘッとわらった。くらやみの中だから、あとからきたコウモリたちもどんな顔をしているのかわからない。

「ウマとブタとウシ？」

テントがつぶやくと、

「ウマといっても、顔が長いだけヅラ」

ウマヅラコウモリの声が
ぶっきらぼうにいった。

「ブタといっても、鼻がまるいだけヅラ」

「ウシといっても、鼻が四角いだけヅラ」

ブタヅラコウモリとウシヅラコウモリの声が、ウヘッ、ウヘヘッとわらった。

「おまえら、どこからきたヅラ」

うたがいぶかそうにいったのは、ウマヅラコウモリの声だ。

「なにたくらんでるヅラ」

ブタヅラコウモリとウシヅラコウモリが、声をそろえた。

「ぼくたち、なにもたくらんでいない。トガリ山のふもとからきたんだ」

「たくらんでない、ぼくたち」

わしとテントがくらやみにむかっていうと、

「どーもあやしい、うそついてるヅラ」

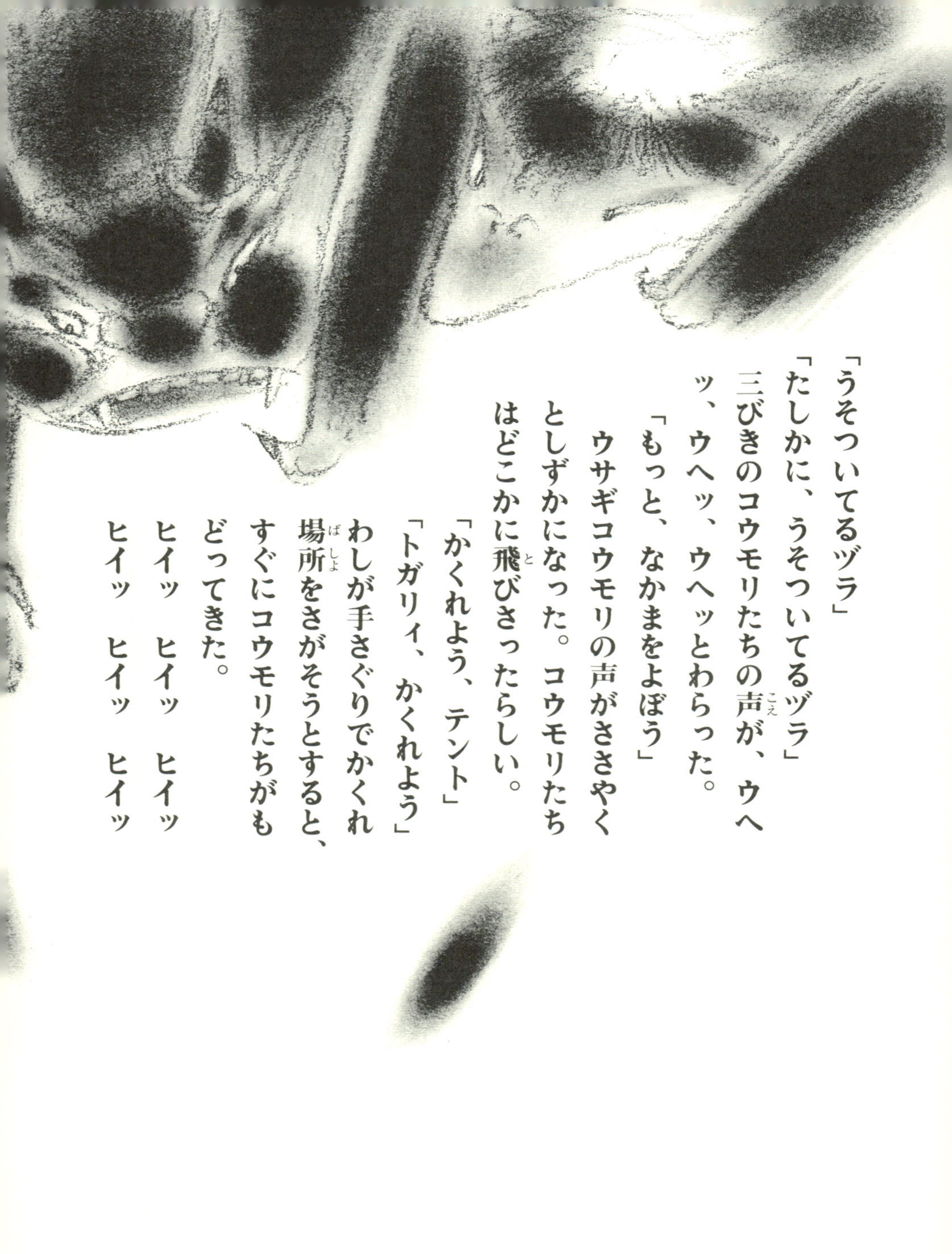

「うそついてるヅラ」

「たしかに、うそついてるヅラ」

三びきのコウモリたちの声が、ウヘッ、ウヘッ、ウヘッとわらった。

「もっと、なかまをよぼう」

ウサギコウモリの声がささやくとしずかになった。コウモリたちはどこかに飛びさったらしい。

「かくれよう、テント」

「トガリィ、かくれよう」

わしが手さぐりでかくれ場所をさがそうとすると、すぐにコウモリたちがもどってきた。

ヒイッ　ヒイッ　ヒイッ
ヒイッ　ヒイッ　ヒイッ

かすかな音が、わしたちの頭の上をつぎつぎにかすめた。そしてコウモリたちは、どこか上の方にとまったらしい。

「どう思う、テングコウモリ」

とささやいたのは、ウサギコウモリの声だ。

「われらがくらやみの国に、かってに入りこむとは、けしからんやつらである」

テングコウモリらしい声がどなった。

「どう思う、オニコウモリ」

タヌキコウモリの声がウヒッとわらうと、

「くらやみの国には、かってに入ってはならぬきそくである」

オニコウモリらしい声が、ウホンとせきばらいをした。

「どう思う、カッパコウモリ」

キツネコウモリの声がウヒッとわらうと、

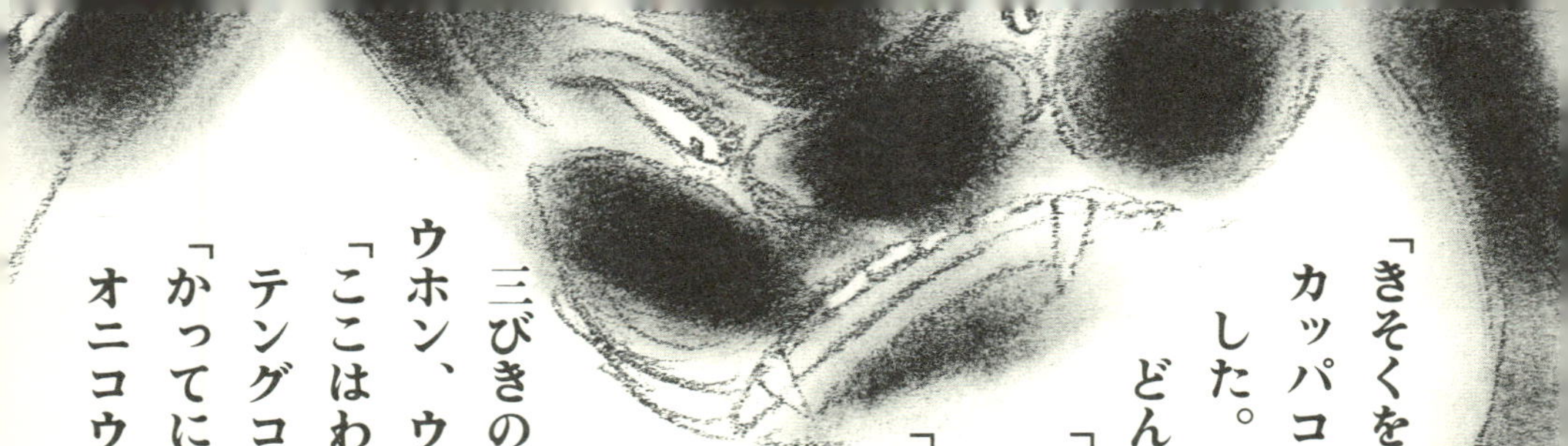

「きそくをやぶるとは、とんでもないやつらである」
カッパコウモリらしい声が、ウホンとせきばらいをした。くらやみの中だから、このコウモリたちも、どんな顔をしているのかわからない。

「テングとオニとカッパ？」

テントがつぶやくと、

「テングというのは、鼻が長いものである」

「オニというのは、頭にツノがあるものである」

「カッパというのは、頭にサラがあるものである」

三びきのコウモリたちが、いばったようにいって、ウホン、ウホン、ウホン、とせきばらいをした。

「ここはわれらのくらやみの国である」

テングコウモリの声につづいて、

「かってに入ってはならぬきそくである」

オニコウモリとカッパコウモリが、わしたちをおど

すように声をそろえた。

「ぼくたち、まちがってここにおちてしまっただけだ。これから、トガリ山のてっぺんへのぼるところなんだ」

「のぼるところなんだ。てっぺんへ」

わしとテントがいうと、

「なに、トガリ山のてっぺん？きそくはしらべたのか」

三びきのコウモリたちが、ウホン、ウホン、ウホンとせきばらいをした。すると、
ヒイッ　ヒイッ　ヒイッ
また、かすかな音がわしたちの頭の上をかすめた。もっとべつのコウモリがやってきたらしい。

「やあ、キクガシラコウモリ」

声をかけたのはウサギコウモリだ。

「やあ、ユリガシラコウモリ」

「やあ、バラガシラコウモリ」

タヌキコウモリとキツネコウモリの

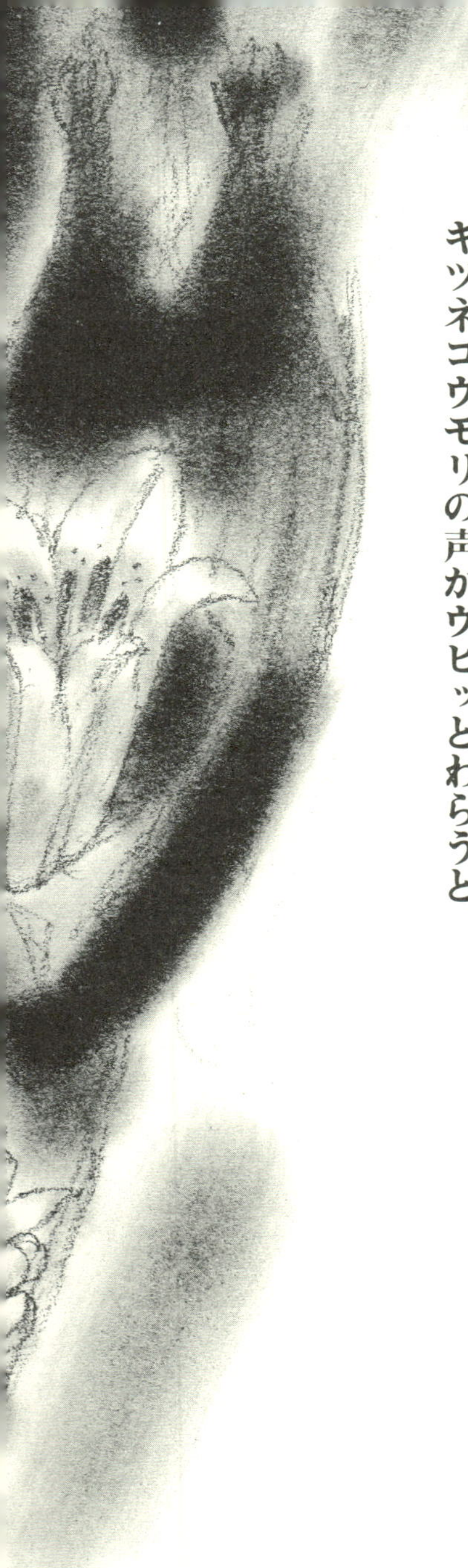

声が、ウヒッ、ウヒッとわらった。

「どう思う、キクガシラコウモリ」

ウサギコウモリの声がささやくと、

「まあ、なんてかわいいおちびちゃんたちなのかしら」

キクガシラコウモリらしい声がささやきかえした。

「どう思う、ユリガシラコウモリ」

タヌキコウモリの声がウヒッとわらうと、

「なんてかわいい、トガリネズミちゃんなのかしら」

ユリガシラコウモリらしい声がウホホとわらった。

「どう思う、バラガシラコウモリ」

キツネコウモリの声がウヒッとわらうと、

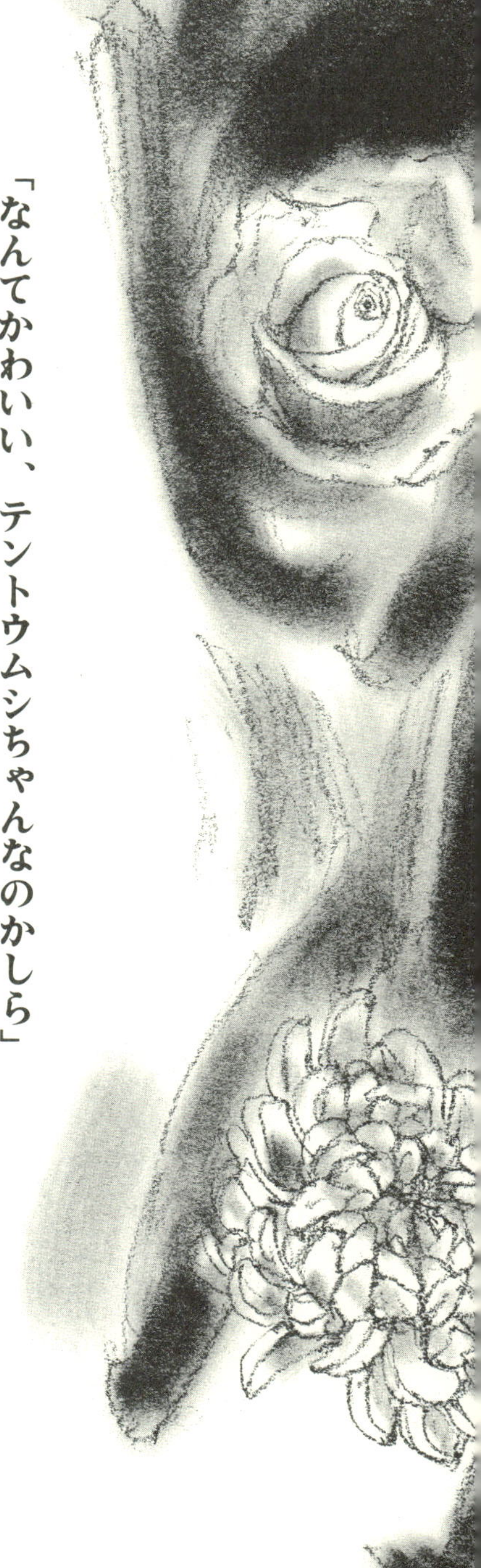

「なんてかわいい、テントウムシちゃんなのかしら」

バラガシラコウモリらしい声がウホホとわらった。

くらやみの中だから、やっぱりこのコウモリたちが、どんな顔をしているのかわからない。

「キクとユリとバラ?」

テントがつぶやくと、

「キクの花のようにうつくしい顔ってことかしら」

「ユリの花のようにうつくしい顔ってことかしら」

「バラの花のようにうつくしい顔ってことかしら」

三びきのコウモリたちがきどっていって、ウホホ、ウホホ、ウホホ、とわらった。

「コウモリは、まっくらやみでも見えちゃうんだ、すげぇ」

セッセがかんしんすると、

「コウモリは目で見るんじゃなくて、耳で見るんだよ、ね、おじいちゃん」

キッキがトガリィじいさんを見た。

「そう、ちょうおんぱという音をだし、はねかえってきた音をきいて、そこになにがあるかをしるんだ。わしたちトガリネズミだって、できるじゃないか」

トガリィじいさんが、目をつむって耳をぴくぴく動(うご)かした。

「ぼくも耳で見てみる」

クックも目をつむって、ぴくぴく動かして、

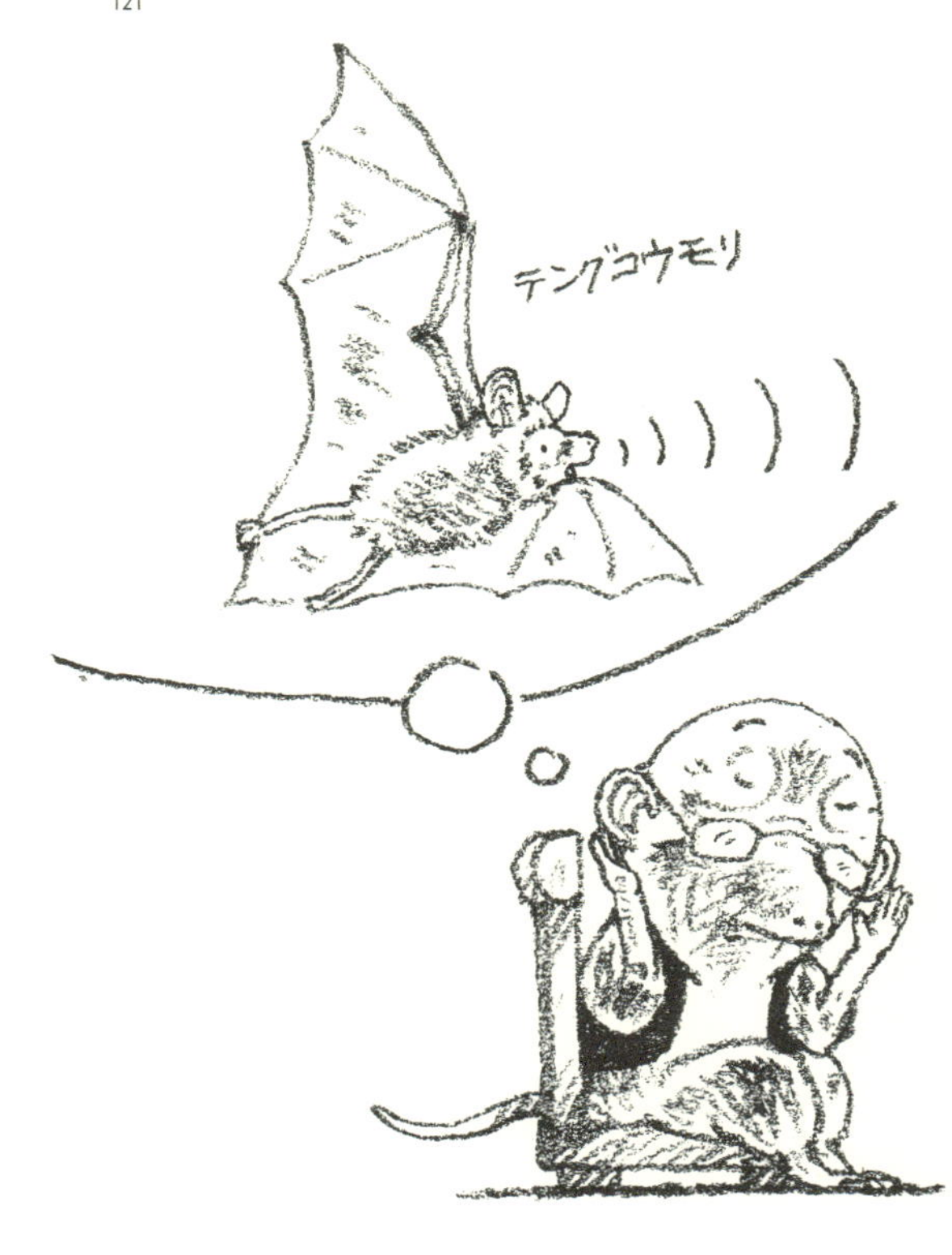

「ここにいるのがおじいちゃん、こっちにいるのはセッセとキッキ」

というと、

「そんなのとっくにわかってるだろ」

セッセがクックをつついた。

「じゃ、あたしは鼻で見てみる」

キッキが目をつむると、セッセが目であいずして、いそいでクックとすわりばしょをかえた。

「クン、クン、見える、見える。これがクック、こっちがセッセ」

と、キッキがにおいをかぎわけた。

「じゃ、おれは、手で見てみる」

セッセが目をつむって手をひろげ、

「これはクックコウモリ!」

クックの顔にさわってさけんだ。

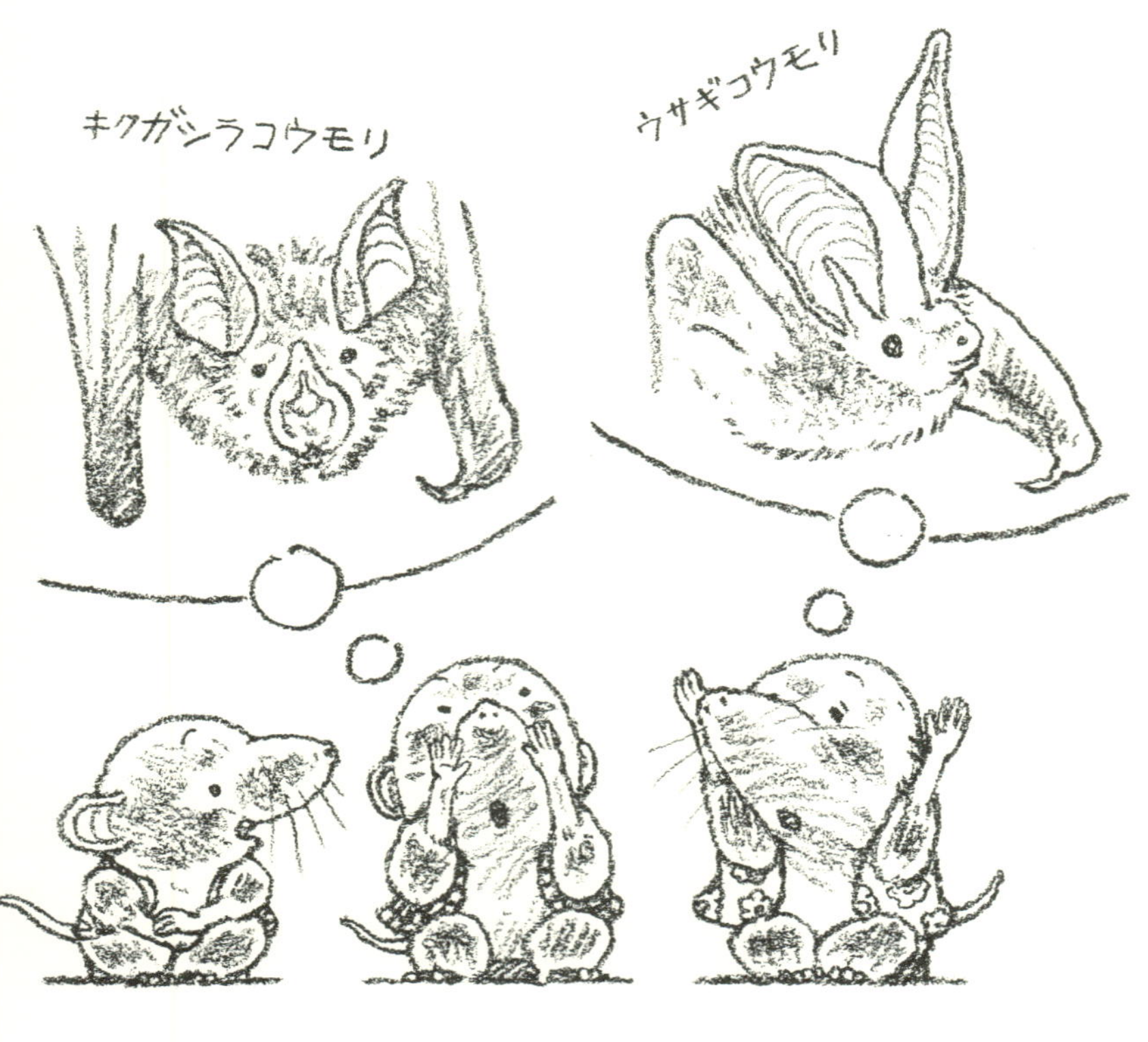

「そういえばあたし、森でウサギコウモリの顔、見たことあるよ」

キッキがいった。

「えっ、ほんと！　ウサギみたいな耳だった？」

クックが立ちあがってキッキを見つめた。

「そう、大きな耳だった」

キッキが両手で耳をつくってみせた。

「おれ、キクガシラコウモリの顔なら、見たことあるぜ」

セッセもとくいそうにいった。

「えっ、いいな。ほんとにキクの花みたいだった？」

クックがセッセの顔をのぞきこん

だ。

「べつにそんな顔じゃなかった。鼻が大きくて、なんだか、ブタヅラっていう顔だった」

セッセがてんじょうを見つめていった。

「ふーん、じゃ、鼻で見てるんじゃない」

キッキが鼻をひくひく動かした。

「ぼく、テングコウモリとか、カッパコウモリとか、ウマヅラコウモリの顔、見てみたい」

クックも、セッセが見つめていたてんじょうのあたりを、のぞきこむように見あげた。

9　うそヅラ　うそヅラ

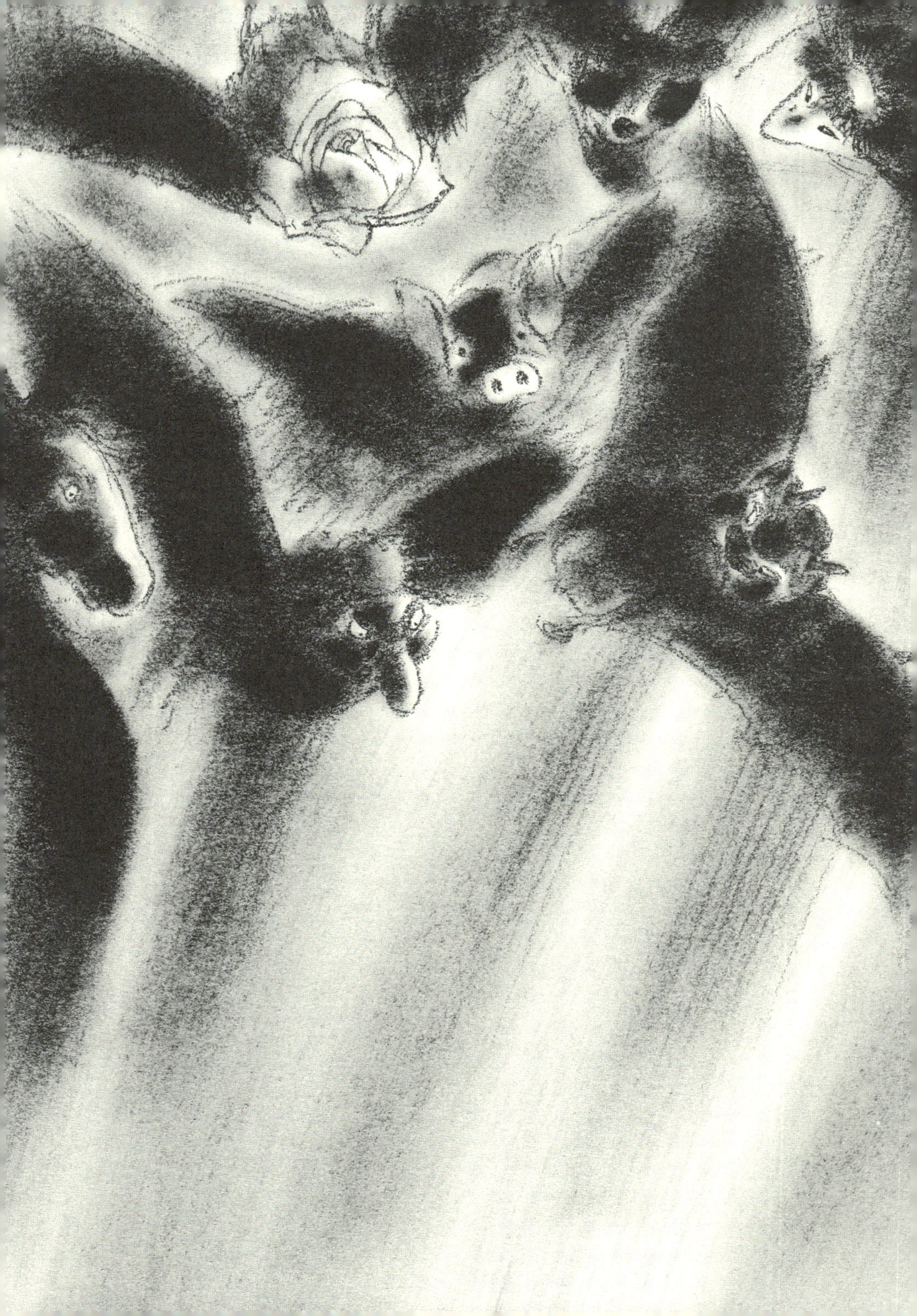

「どうする、あやしいふたり」

ウサギコウモリがいうと、

「どうする、どうする」

タヌキコウモリとキツネコウモリの声がはやしたてた。頭の上のくらやみで、そうだんがはじまった。

「ほんとのこと、いわせるヅラ」

「うそついたら、けとばすヅラ」

「うそついたら、ふみつぶすヅラ」

「まあ、そんならんぼうして、いいのかしら」

「かわいそうって、思わないのかしら」

「なんてことというのかしら」

「しかし、きそくをやぶったのである」

「きそくはまもらねばならぬのである」

「きそくをやぶったものは、ばっせられるのである」

テングコウモリの声が、えらそうにウホンとせきばらいをすると、みんながだまった。わしは、すがたの見えないコウモリたちにむかっていった。

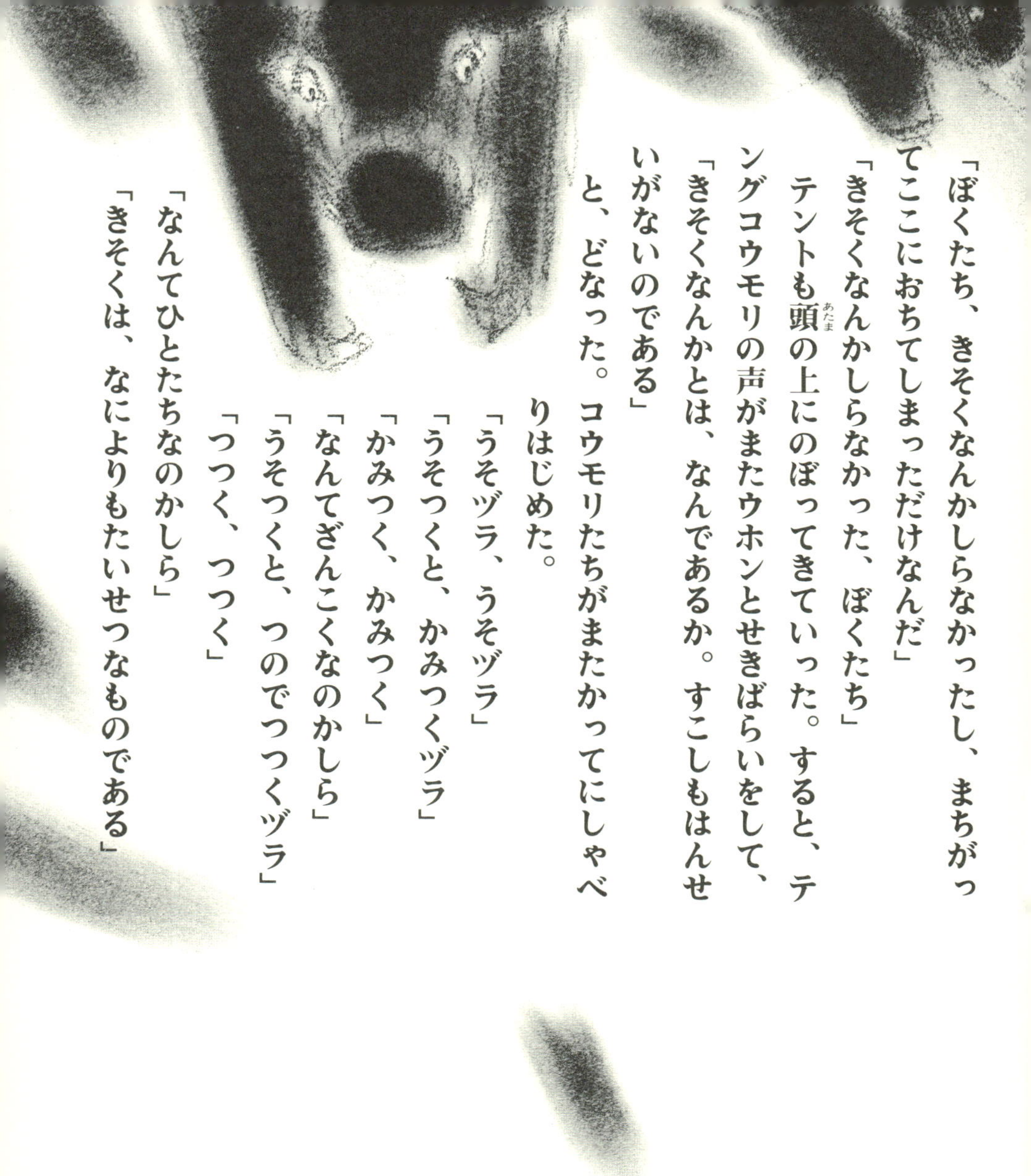

「ぼくたち、きそくなんかしらなかったし、まちがってここにおちてしまっただけなんだ」

「きそくなんかしらなかった、ぼくたち」

テントも頭の上にのぼってきていった。すると、テングコウモリの声がまたウホンとせきばらいをして、

「きそくなんかとは、なんであるか。すこしもはんせいがないのである」

と、どなった。コウモリたちがまたかってにしゃべりはじめた。

「うそヅラ、うそヅラ」

「うそつくと、かみつくヅラ」

「かみつく、かみつく」

「なんてざんこくなのかしら」

「うそつくと、つのでつつくヅラ」

「つつく、つつく」

「なんてひとたちなのかしら」

「きそくは、なによりもたいせつなものである」

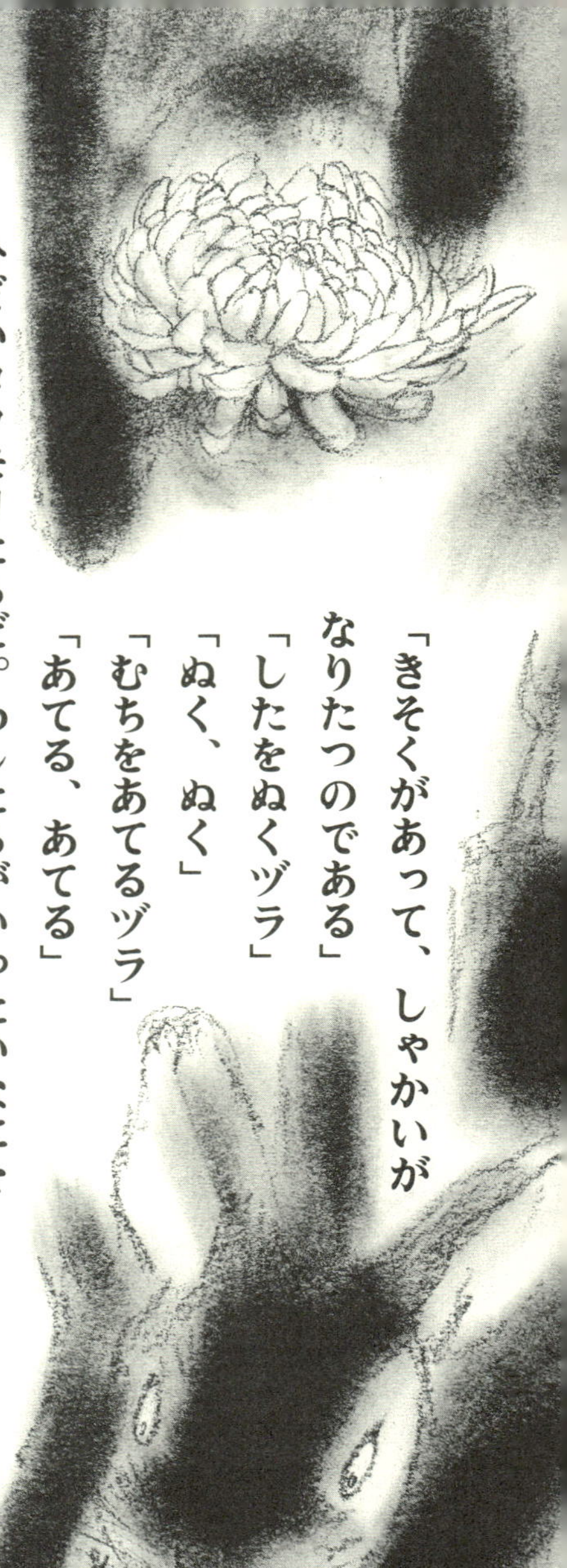

「きそくがあって、しゃかいがなりたつのである」

「したをぬくヅラ」

「ぬく、ぬく」

「むちをあてるヅラ」

「あてる、あてる」

ひどいコウモリたちだ。わしたちがいったいなにをしたというのだ。わしはくらやみにむかって、せいいっぱい声をはりあげた。

「ぼくの話もきいて！　きそくといっても、ぼくはふもとのトガリネズミ、ここのきそくはしらなかったんだ。出口をおしえてくれれば、すぐにでていく」

「でていく、すぐに」

テントも声をはりあげた。すると、

「でていく？」

「すぐに？」

タヌキコウモリとキツネコウモリの声が、からかうようにいって、ウヒッ、ウヒッとわらった。

「どうやって、でていくヅラ」

「すぐはむりヅラ」

「でていけねえヅラ」

ウマヅラコウモリとブタヅラコウモリとウシヅラコウモリの声が、ばかにするようにいって、ウヘッ、ウヘッ、ウヘッとわらった。

「出口おしえてあげようかしら」

キクガシラコウモリの声が、きのどくそうにいうと、

「せなかにおぶっていってあげようかしら」

「むねにだいていってあげようかしら」

ユリガシラコウモリとバラガシラコウモリの声がいった。するとテングコウモリの声が、ウホンとせきばらいをして、

「そんなことはゆるさぬ、そんなことをしたら、おまえたちもばっせられるのである」

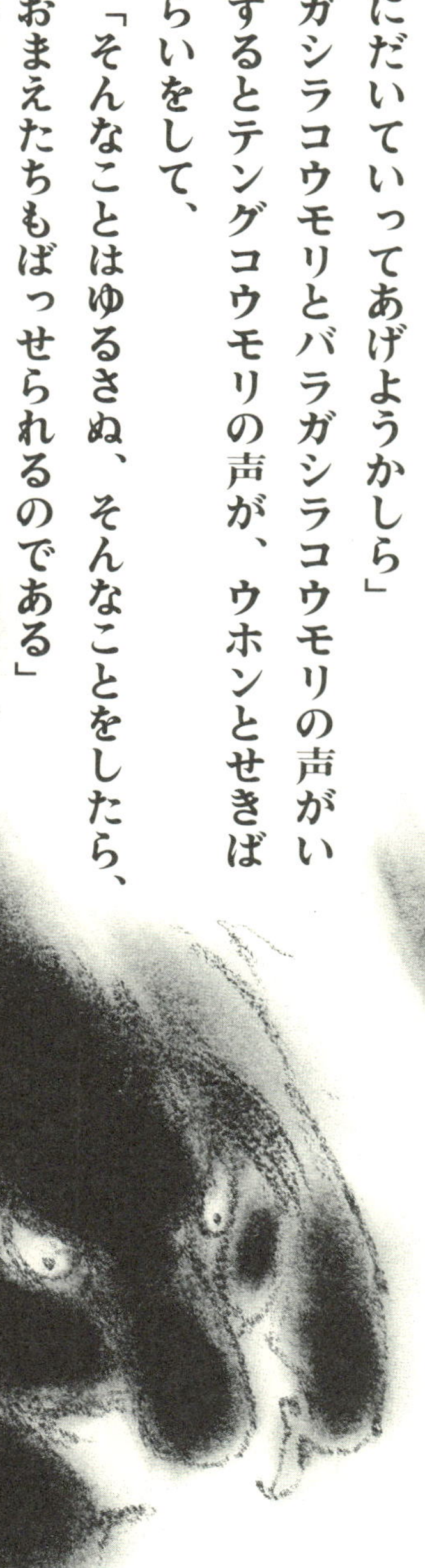

とどなった。

「それで、どうする、あやしいふたり」

またウサギコウモリの声がいった。

「どうする、どうする」

タヌキコウモリとキツネコウモリの声がはやしたてると、

「ほんとのこと、いわせるヅラ」

ウマヅラコウモリの声がうなるようにいった。

「よし、なぜくらやみの国にしのびこんだのか、しょうじきにいうのである」

くらやみの中にひびいたおそろしい声は、オニコウモリの声だ。わしはまけずに、

「ぼくたち、しのびこんだんじゃないし、なにもたくらんでなんかいない。まちがって、くらやみの国におちただけだ」

くらやみにむかって声をはりあげた。

「ぼくたち、トガリ山のてっぺんへのぼるとちゅうな

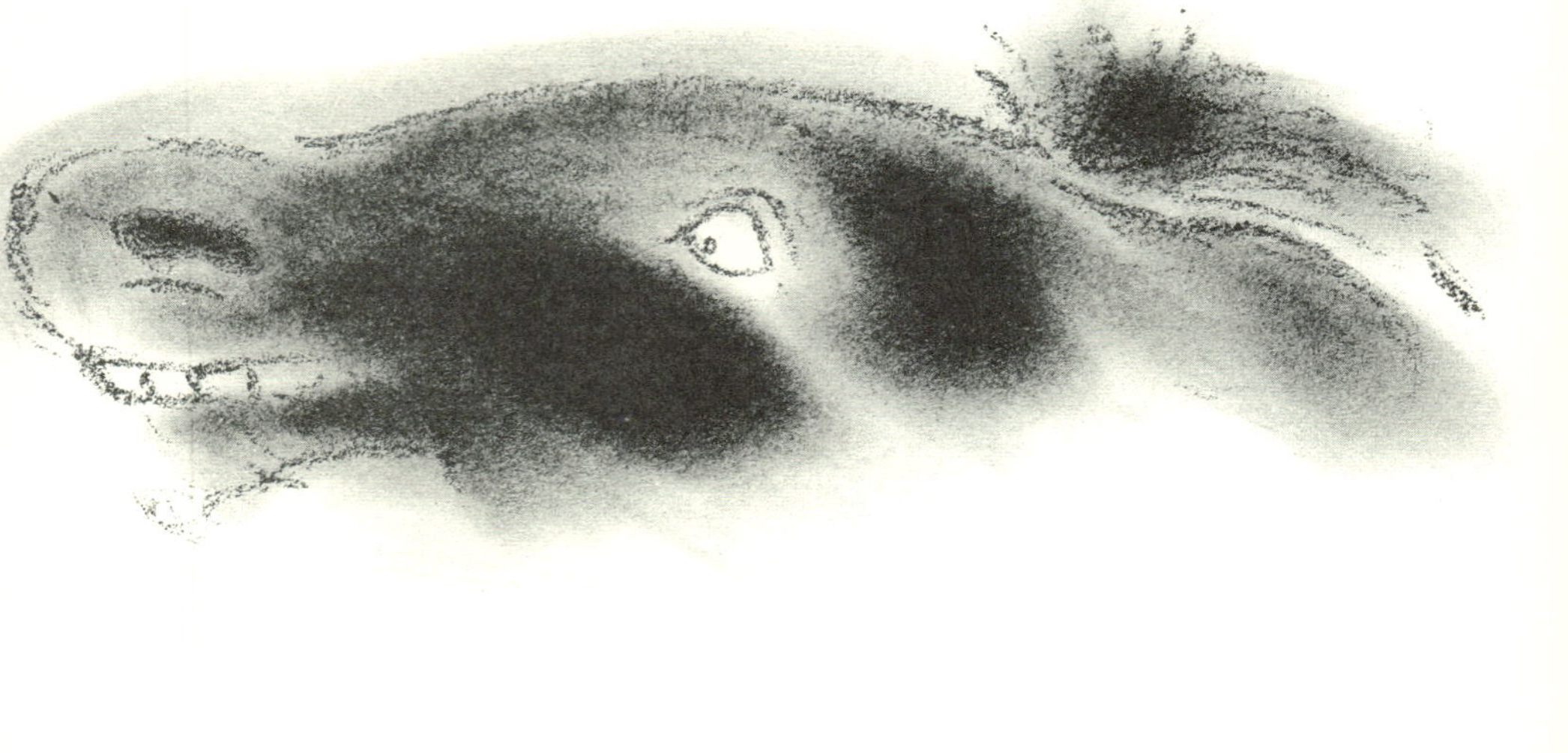

んだ」

「とちゅうなんだ、のぼる」

「トガリ山？」

「てっぺん？」

「ほんとかしら」

「うそヅラ、うそヅラ」

わしとテントはかまわずつづけて、

「ところが、山道でネコというやつにであったんだ」

「であったんだ、ネコに」

「ネコ？」

「ほんとかしら」

「あやしい、あやしい」

「ネコなんて、トガリ山にいねぇヅラ」

「うそヅラ、うそヅラ」

コウモリたちがまたさわぎだした。テングコウモリの声がウホンと大きなせきばらいをして、

「よくもそのような、でたらめがいえるのである」

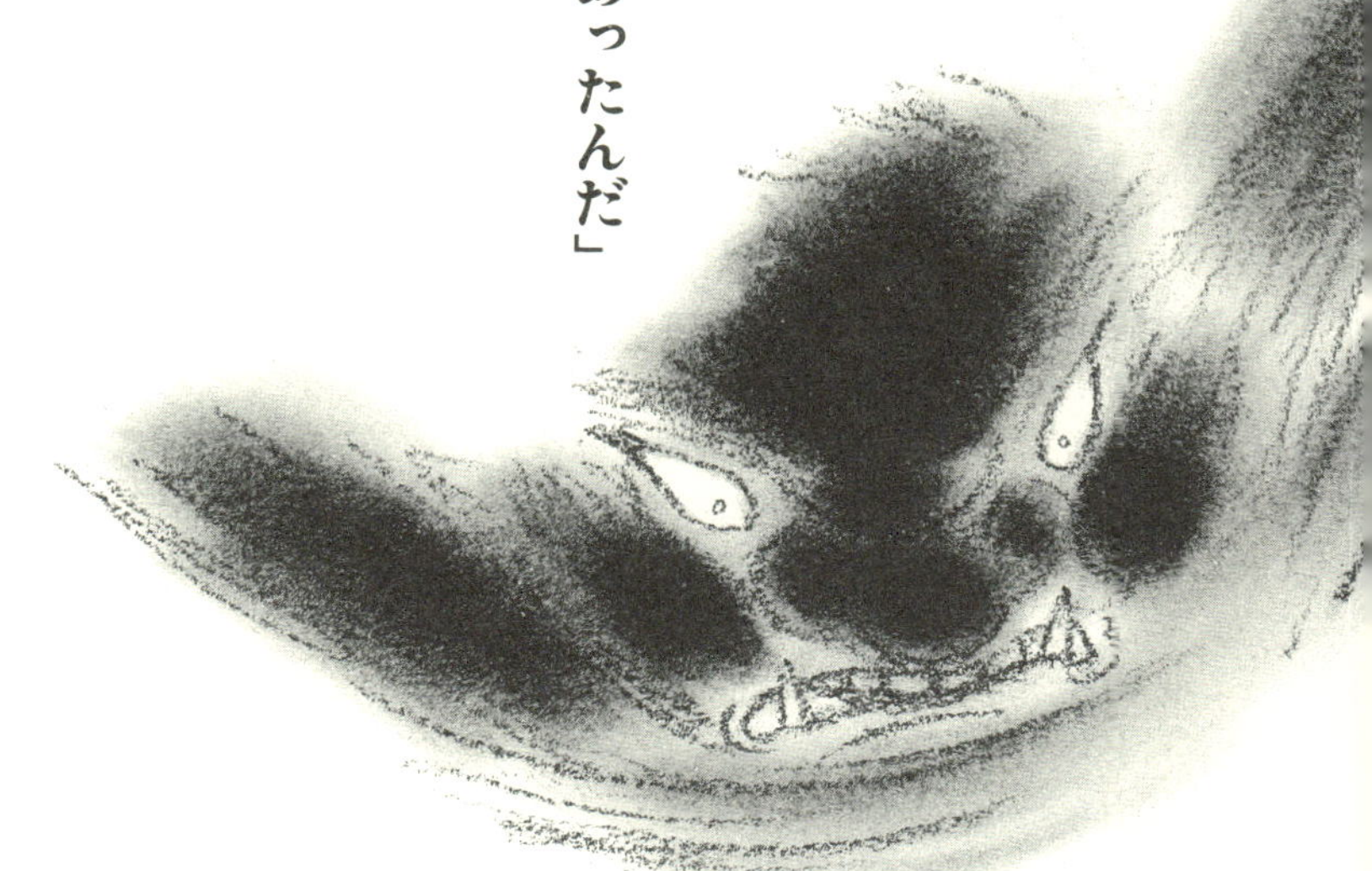

とどなると、

「けしからんのである」

オニコウモリとカッパコウモリが声をそろえた。

「うそじゃない、ほんとにネコがいたんだ」

「いたんだ、ネコが」

わしとテントがいくらさけんでも、もうだれもきこうとしない。

「なにたくらんでるヅラ」

「どうしてうそつくのかしら」

「ネコなんているのかしら」

「うそヅラ、うそヅラ」

「このものたちに、ばつをあたえるのである」

ウホンとせきばらいをしたのはテングコウモリの声だ。

「地底のみずうみにしずめてしまうのである」

きみのわるい声をだしたのはカッパコウモリだ。

「いや、くらやみの国をひきずりまわすのである」

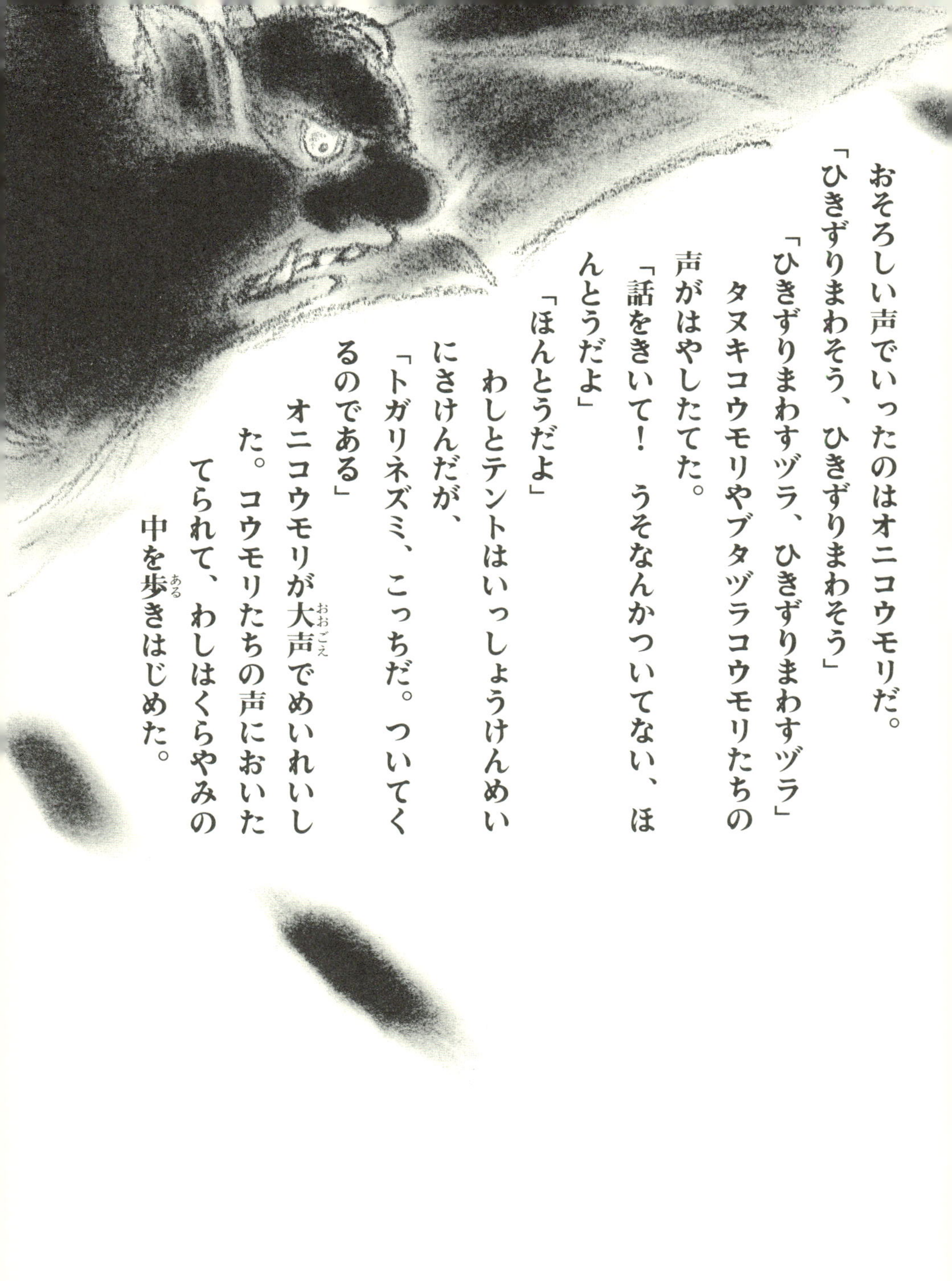

おそろしい声でいったのはオニコウモリだ。

「ひきずりまわそう、ひきずりまわそう」

「ひきずりまわすヅラ、ひきずりまわすヅラ」

タヌキコウモリやブタヅラコウモリたちの声がはやしたてた。

「話をきいて！　うそなんかついてない、ほんとうだよ」

「ほんとうだよ」

わしとテントはいっしょうけんめいにさけんだが、

「トガリネズミ、こっちだ。ついてくるのである」

オニコウモリが大声（おおごえ）でめいれいした。コウモリたちの声においたてられて、わしはくらやみの中を歩（ある）きはじめた。

10 地の底(そこ)の音

「トガリィ、きっとなんとかなる」

テントがわしの耳もとでささやいた。

「うん、きっとなんとかなるさ、テント」

わしもささやきかえした。

「前にはしら、右によけるのである」

「右に水たまり、左によけるのである」

「左にあな、右によけるのである」

オニコウモリの声が、こまかくわしにさしずした。

なれてくるにしたがって、わしにもくらやみの国がどんなところか、すこしずつわかるようになってきた。

地底にできた大きなどうくつなのだろう。地面にはにょきにょき石のはしらが立っている。てんじょうからは水てきがしたたりおち、あちこちから水が流れだしている。くらやみの国は水の国でもある。

「前はがけ、そのまままっすぐのぼるのである」

オニコウモリの声があたりにひびいた。手でさぐりながらすすんでいくと、きゅうなのぼり坂になった。

石の地面は水にぬれてつるつるすべる。

わしは四つんばいになり、手足のつめを立て、しっぽもつかって体をささえ、ゆっくりとのぼっていった。

「さっさとのぼるのである」

頭（あたま）の上でオニコウモリの声がどなった。

「のぼれ、のぼれ」

「さっさとのぼれ」

「すべるぞ、すべるぞ」

「すべっておちたら、いのちもおとすヅラ」

「こわいがけヅラ」

「いのちがけヅラ」

ウサギコウモリやウマヅラコウモリたちの声が、はやしたてながら頭の上を飛（と）んだ。

「トガリィ、のんびり」

肩（かた）の上でテントがささやいた。

「だいじょうぶだよ。それよりテント、おちたらあぶない、リュックのポケットに入ってて」

わしがささやきかえすと、テントはポケットにもぐりこんだ。

手にひっかかるものをさがしながら、時間をかけて、きゅうながけをのぼっていった。やっとのことでたいらな場所にたどりつき、ほっとすると、

「さっさとすすめ、まっすぐすすむのである」

うしろでオニコウモリの声がどなった。

「まっすぐ、まっすぐ、まがるとおちる。右も左もつめたい池である」

前の方からきこえてきたのは、カッパコウモリの声だ。足もとで、ピチャピチャと水が岸にあたる音がする。ひんやりつめたいしめった空気が、まわりが池であることを感じさせる。足でさぐると、道はわしらが一ぴきやっととおれるほどのはばしかない。

「さっさとすすめ」

「まっすぐすすめ」

「まがるとおちる」

「まがっておちたら、いのちもおとすヅラ」

「そこなしの池ヅラ」

「いけヅラ、いけヅラ、さっさといけヅラ」

ウサギコウモリやウマヅラコウモリたちの声が、はやしたてながら頭の上を飛んだ。

わしはすり足で、水の音にちゅういをはらいながら、ゆっくりとすすんでいった。

「さっさと歩くのである」

カッパコウモリの声が頭の上でどなると、

「ゆっくり、ゆっくり」

テントがリュックのポケットの中でささやいた。

「まがる、まがる、ウヒッ、ウヒッ」

「すべる、すべる、ウヒッ、ウヒッ」

「おちる、おちる、ウヒッ、ウヒッ」

ウサギコウモリたちの声が、わしのまわりをまわりながらはやしたてた。

「うるさい！」

がまんができなくなってさけんだとたんだ。

「きゃーっ」

キクガシラコウモリたちがひめいをあげた。わしは足をすべらせしりもちをついた。チャポンと音がして足がしびれた。なんてつめたい水なんだろう。

「トガリィ、だいじょうぶ？」

テントがしんぱいそうにささやいた。

「ごめん、だいじょうぶだよ、テント」

わしは水につっこんだ右足を手でふいて立ちあがった。ウヒッ、ウヒッ、ウヘッ、ウヘッ、ウサギコウモリやウマヅラコウモリたちのわらい声が、わしの頭（あたま）の上を行（い）ったりきたりした。

池（いけ）の中のほそ道（みち）をしばらく行くと、

「そこで左にまがるのである」

カッパコウモリの声がどなった。

「こんどは右にまがるのである」

「よし、そこのかいだんをおりるのである」

カッパコウモリの声がいうままにすすんでいくと、くらやみのおくから、なにかふしぎな音がきこえはじめた。地の底からわきあがってくるような、ぶきみな音だ。

わしの背たけほどの高さのかいだんを、一だんおりるごとに、音は大きくなっていく。

ドドドォウー　ドドドォウー

音はさらに大きくなり、つめたい風が吹きあげてきた。

「テント、なんの音だろう」

「なんの音?トガリィ」

テントの声は、音にかきけされそうだ。

「右によって、かべづたいにすすむのである」

カッパコウモリの声が頭のすぐ上でどなった。手でさぐると、右手につめたい石のかべがさわった。かいだんは、そこでおわっているようだった。

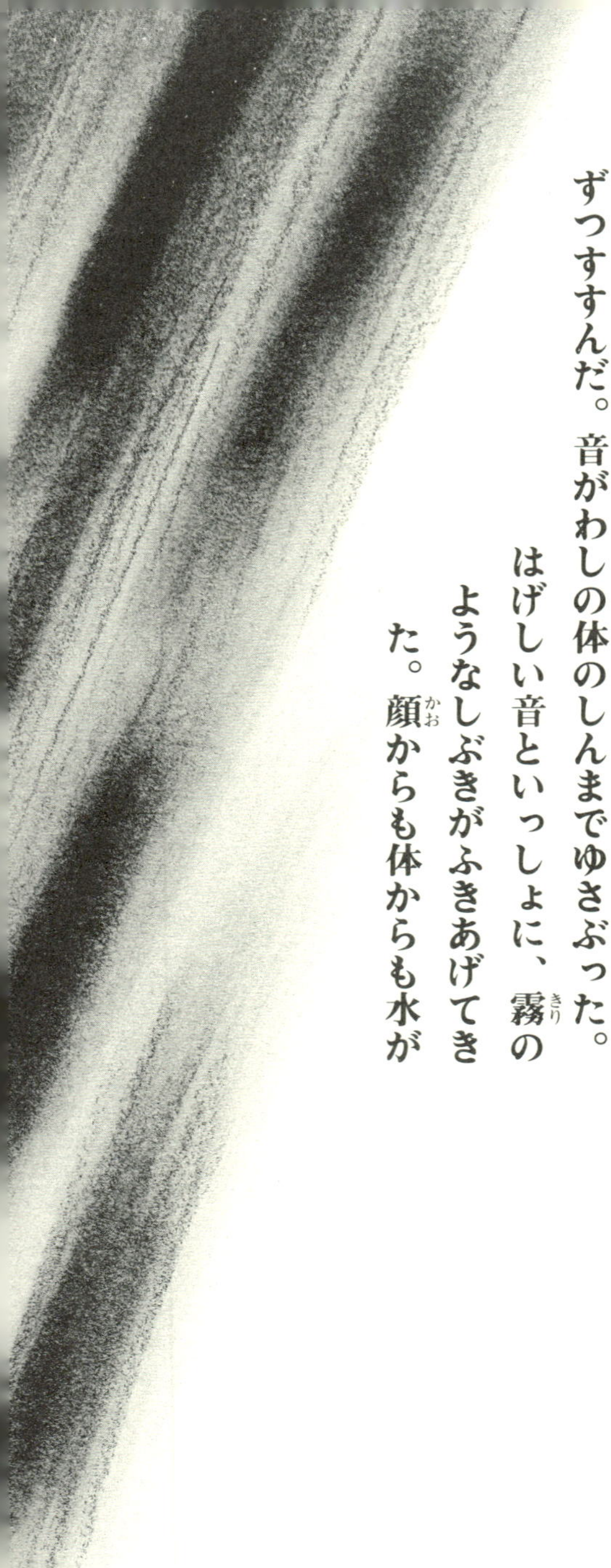

ドドドド　ドドォウー
ドドドド　ドドォウー
音は石のかべや地面をふるわせはじめた。
「こっちだ。こっちへくるのである」
カッパコウモリのさけぶ声が、音にもみくちゃになりながら、かすかにきこえた。わしとテントは、ぶきみな音の中にすっぽりと入りこんでしまった。両手を広げ、かべに背中をもたれかかるようにして、すこしずつすすんだ。音がわしの体のしんまでゆさぶった。
はげしい音といっしょに、霧のようなしぶきがふきあげてきた。顔からも体からも水がしたたりおちた。

カッパコウモリの声もきこえなくなった。たよりは、手にさわるぬれた石のかべだ。

いかりくるったようにおそいかかってくる音としぶきにもまれながら、わしは立ちどまり目をつむった。口をあけしぶきの中のわずかな空気（くうき）をすった。

「がんばれ、トガリィ」

背中（せなか）でテントの声がきこえたような気がした。ここ

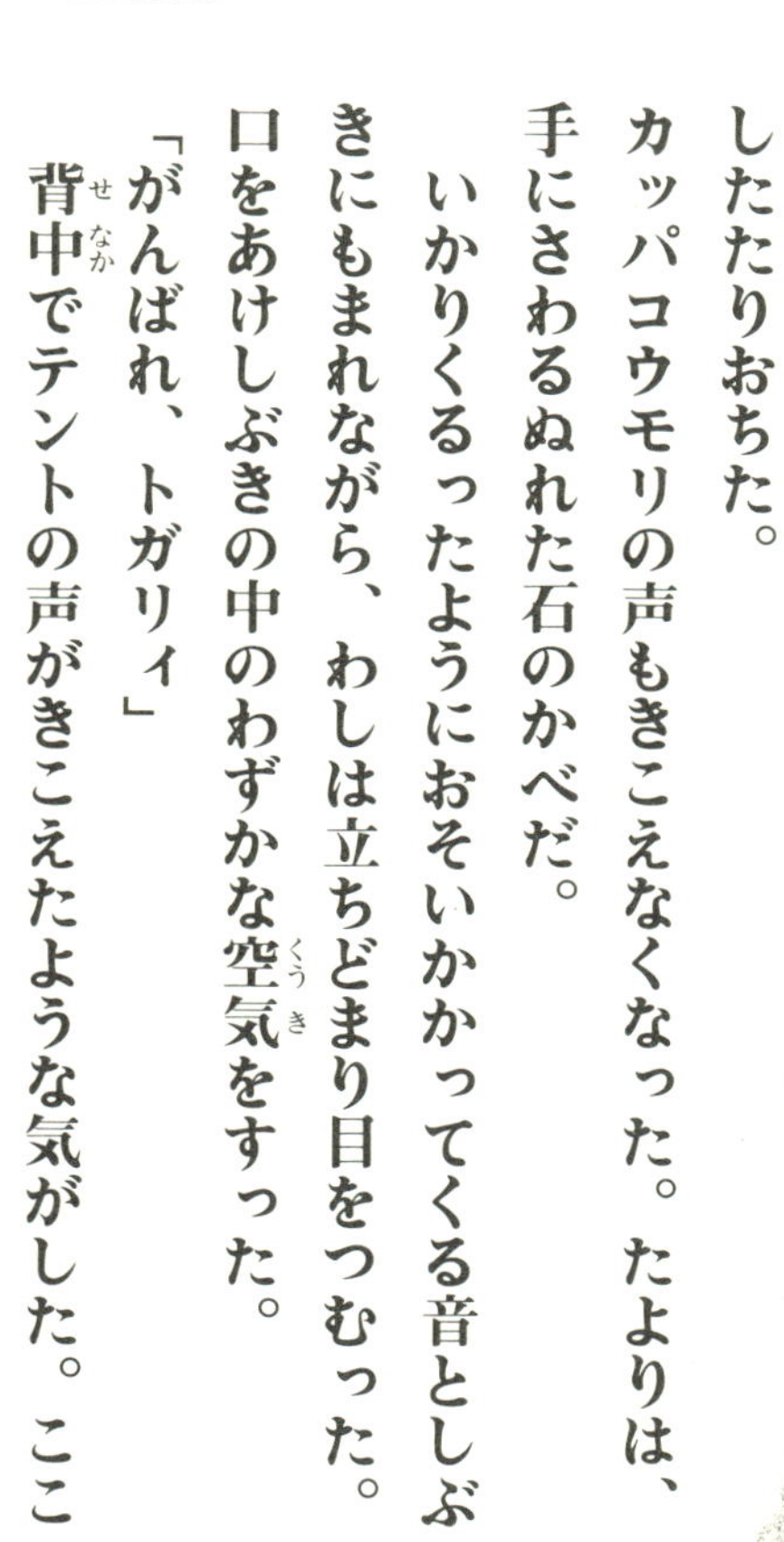

でぼくがくじけたら、テントもいっしょに死んでしまう。そうだ、テントのためにも、ぼくはまけてはいられない。わしはそう思ったら、またゆうきがわいてきた。

顔をぶるぶるとふって、目に入ってくる水てきをふりおとした。

かべにそってしぶきの中をくぐりぬけていくと、しだいに音がとおざかりはじめた。やがて音もしぶきもやんで、しずかになった。

「こっちだ、そこをくぐりぬけるのである」

前の方でオニコウモリの声がきこえた。坂をすこしのぼると、かべにはさまれたせまい場所に入りこんだ。

「だいじょうぶか、テント」

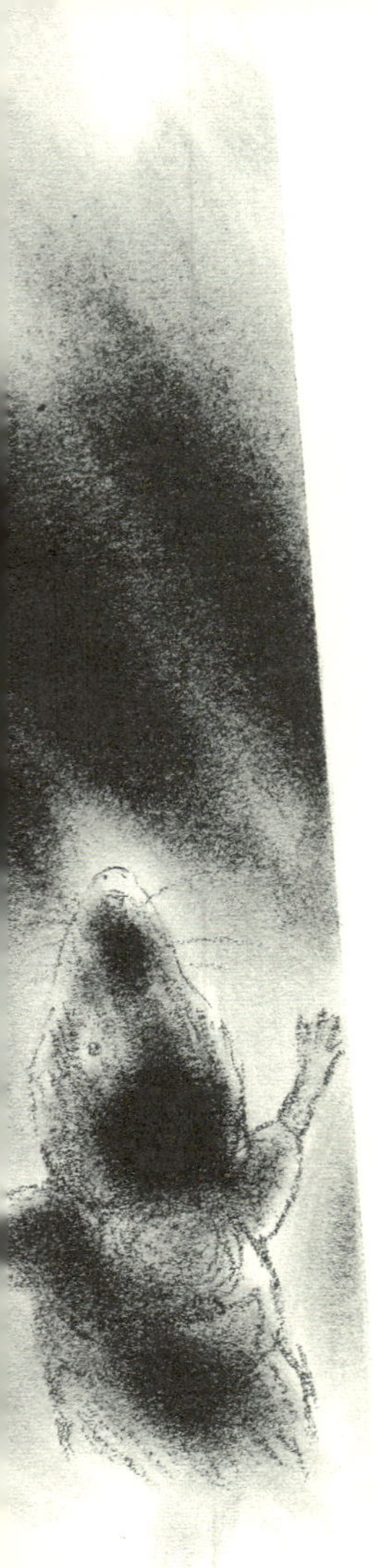

背中にむかってささやくと、

「トガリィ、だいじょうぶ」

テントの声がかえってきた。

「なにをしている、はやくくるのである」

また、前の方でオニコウモリがどなった。

きゅうに広い場所にでたらしかった。タポン、タポンという水の音が、あたりいっぱいにひびいている。

すると、
ヒイッ、ヒイッ　ヒイッ
あのかすかな音が、わしの頭の上をかすめた。

11　モモタロコウモリ

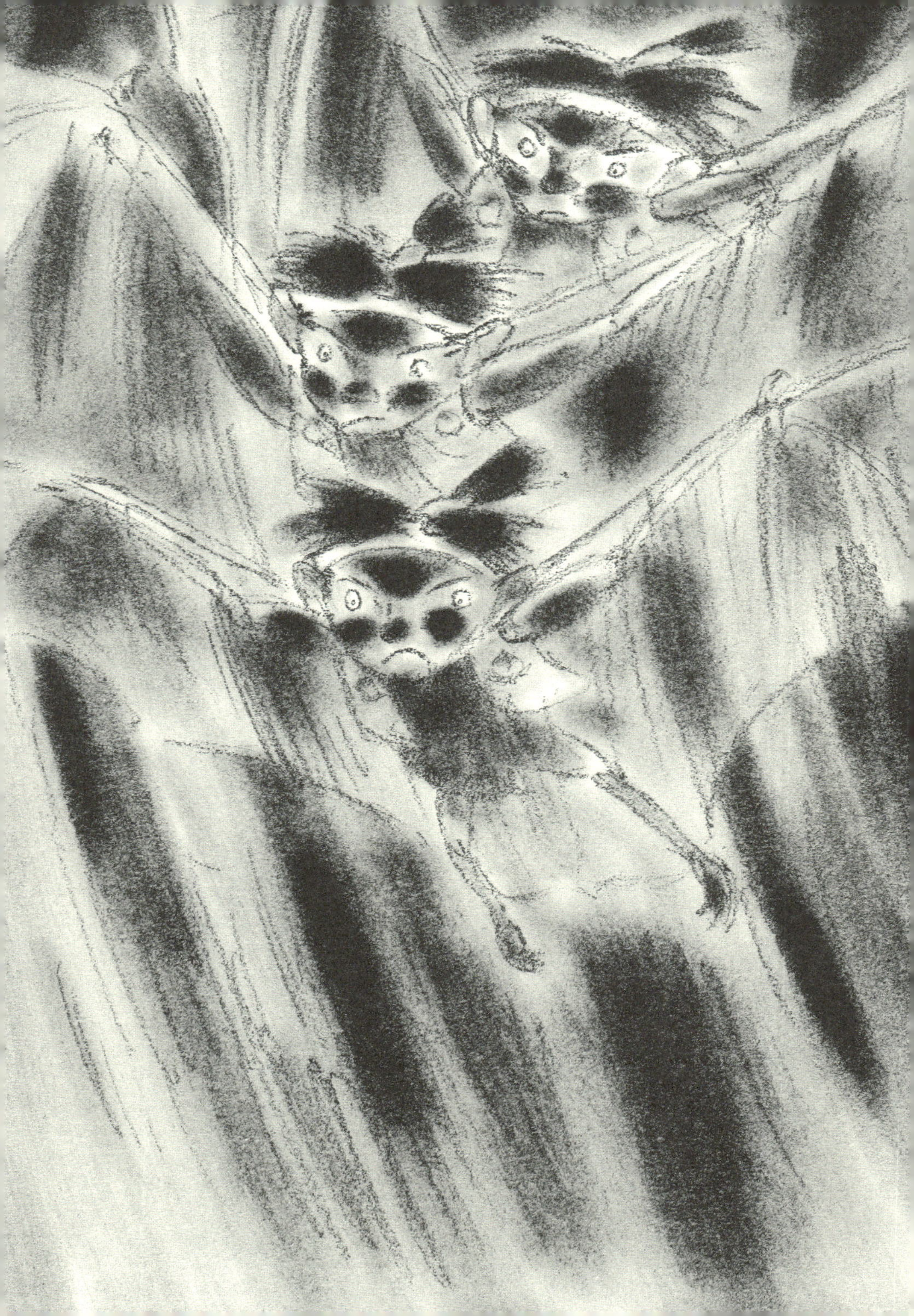

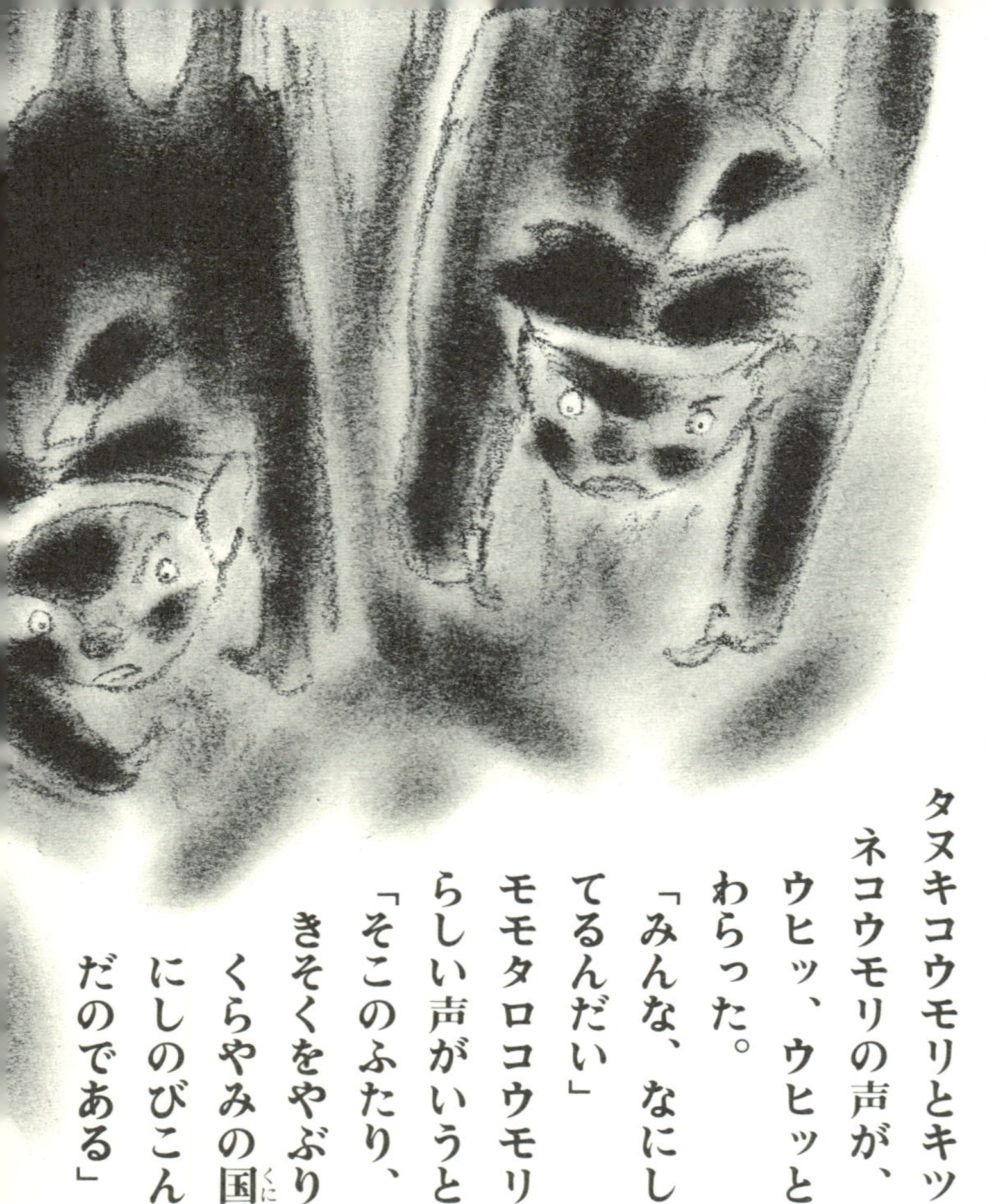

「やあ、モモタロコウモリ」
声をかけたのはウサギコウモリだ。
「やあ、モモジロコウモリ」
「やあ、モモサブロコウモリ」

タヌキコウモリとキツネコウモリの声が、ウヒッ、ウヒッとわらった。

「みんな、なにしてるんだい」

モモタロコウモリらしい声がいうと、

「そこのふたり、きそくをやぶり、くらやみの国ににしのびこんだのである」

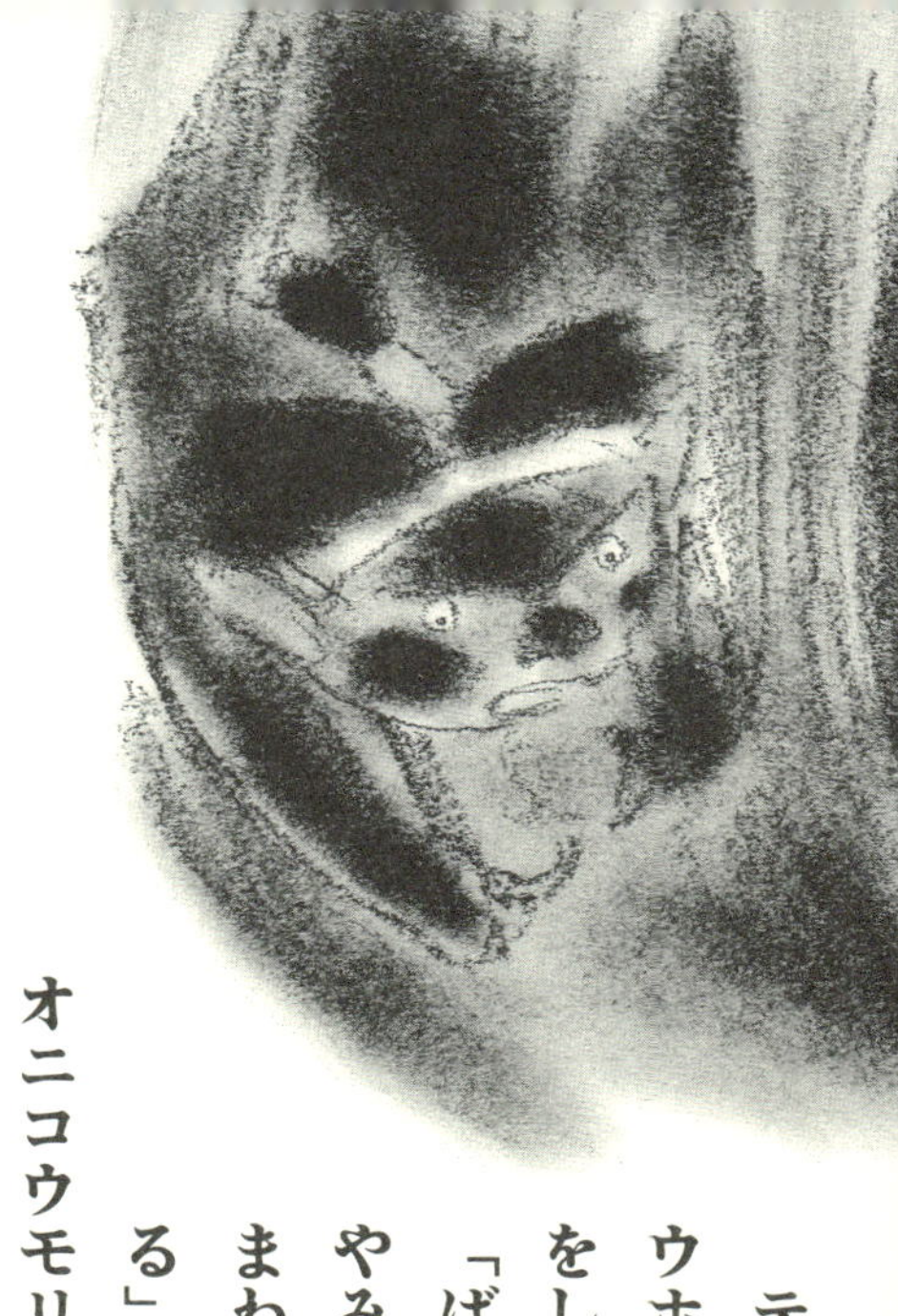

テングコウモリが、ウホンとせきばらいをした。

「ばっとして、くらやみの国をひきずりまわしているのである」

オニコウモリも、ウホンとせきばらいをした。

「そこのふたりとは、トガリネズミともうひとりは?」

モモタロコウモリの声のようだ。

「もうひとりはテントウムシヅラ」

「ふたりでなにかたくらんでいるヅラ」

「うそついてるヅラ」

ウマヅラコウモリたちが、ウヘッ、ウヘッ、ウヘッとわらった。

わしは、もうへとへとにつかれてしゃがみこんでいたが、立ちあがり声をふりしぼっていった。

「ぼくは、トガリ山のふもとにすむ、トガリネズミのトガリィだ。ぼくたちなにもたくらんでいないし、うそをついていない。まちがって、くらやみの国におちてしまったんだ。ほんとうだ」

「ぼくはテント、ほんとうだ、おちてしまったんだ」

テントもリュックのポケットからでて、わしの頭の上にのぼっていった。

「ぼくは、モモタロコウモリだ。トガリィとテント、まちがっておちたそのときのことを、くわしく話してくれないか」

モモタロコウモリはおちついた声でいった。

「ぼくたち、トガリ山のてっぺんへのぼると

ちゅうなんだ」

「とちゅうなんだ、のぼる」

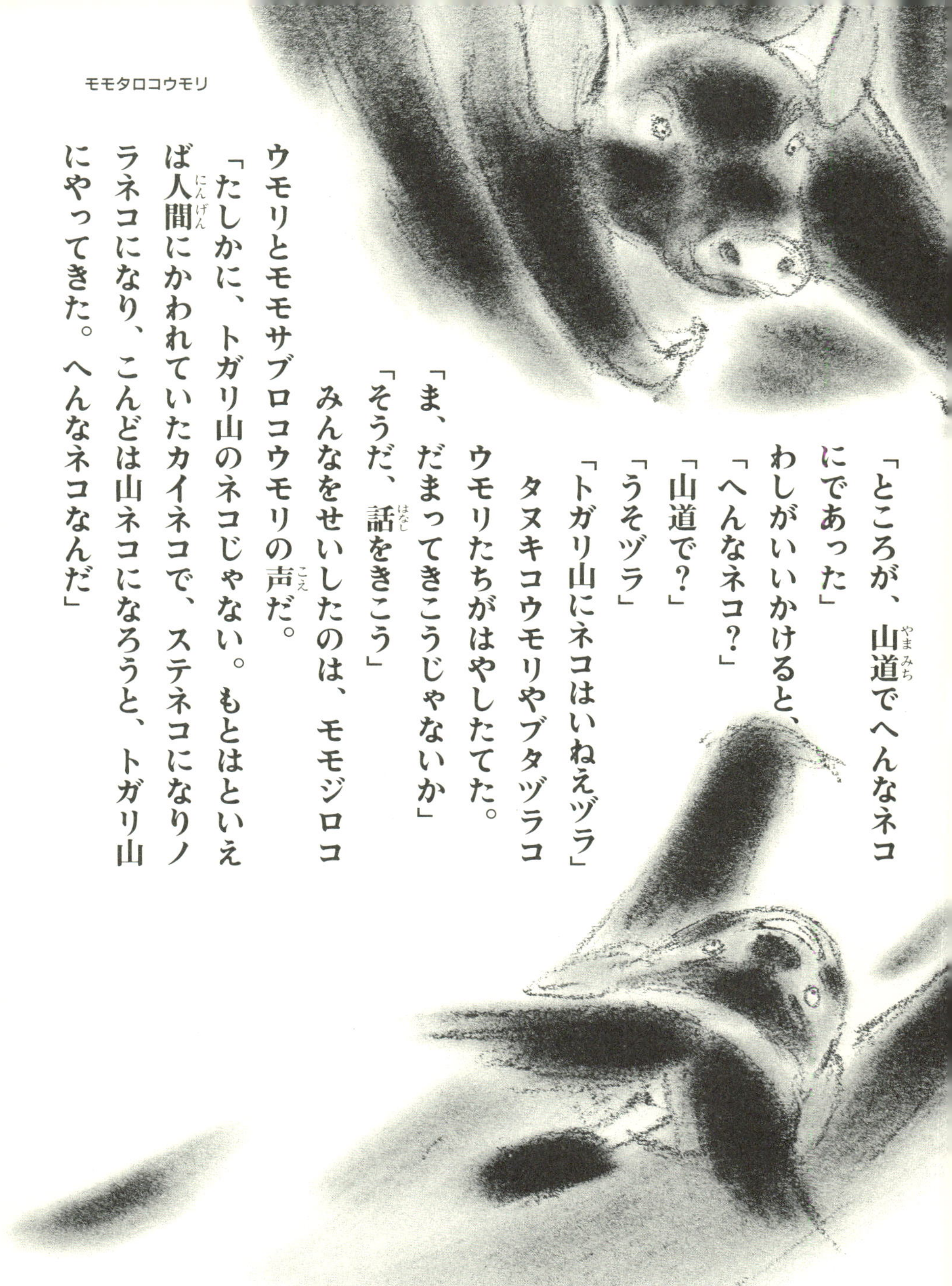

「ところが、山道でへんなネコにであった」

わしがいいかけると、

「へんなネコ？」

「山道で？」

「うそヅラ」

「トガリ山にネコはいいねえヅラ」

タヌキコウモリやブタヅラコウモリたちがはやしたてた。

「ま、だまってきこうじゃないか」

「そうだ、話をきこう」

みんなをせいしたのは、モモジロコウモリとモモサブロコウモリの声だ。

「たしかに、トガリ山のネコじゃない。もとはといえば人間にかわれていたカイネコで、ステネコになりノラネコになり、こんどは山ネコになろうと、トガリ山にやってきた。へんなネコなんだ」

「カイネコ？」

「ステネコ？」

「ノラネコ？」

「山ネコになる？」

コウモリたちはきみょうな声をだした。

「それで、そのネコは、首にすずをぶらさげていた」

「すず？」

「人間がつけたすずさ。カロン、カロリンと鳴るんだ」

「カロン、カロリン……？」

モモジロコウモリの声がつぶやいた。

「そして、ぼくにそのすずをとってくれというのさ。すずがあっては、山ネコになれないっていってね」

「なるほど」

「すずがあっては山ネコになれない……」

つぶやいたのは、モモタロコウモリとモモサブロコウモリの声だ。

「それでぼくは、あいつのすずをはずしてやった。そ

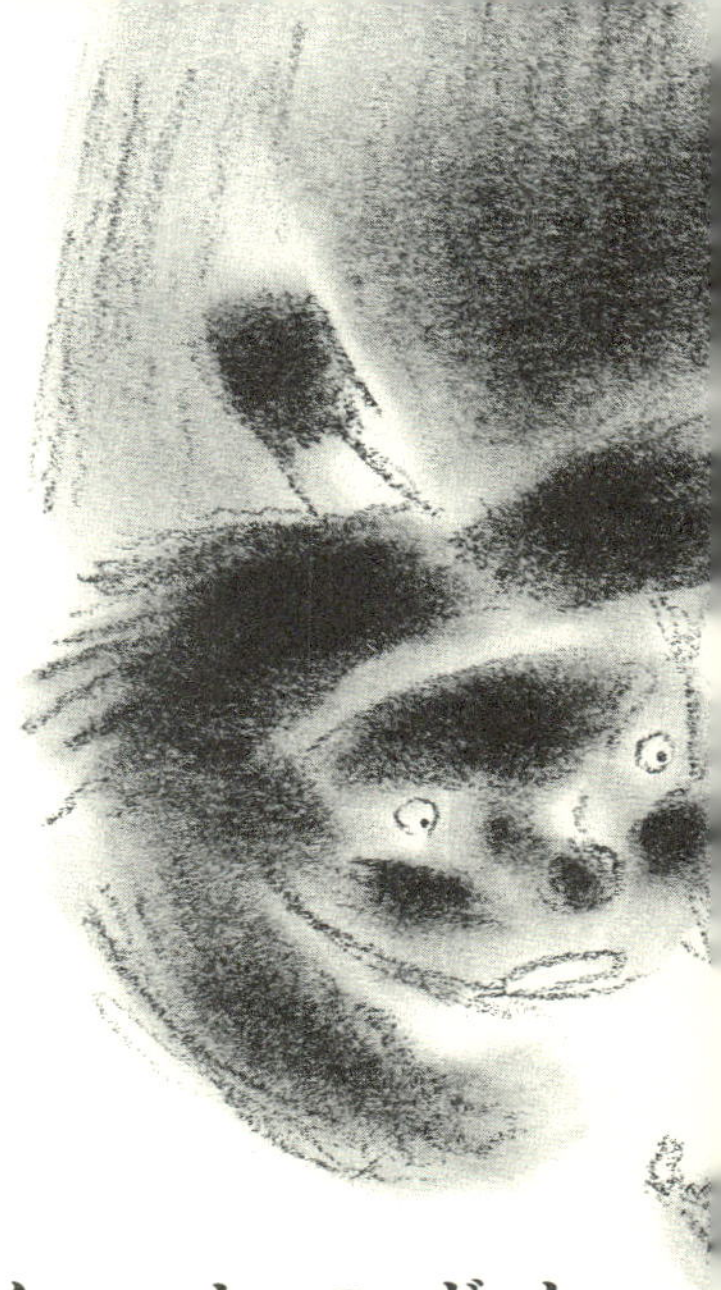

れなのに、すずがはずれたとたん、あいつはぼくに手をだした」
「食わないって、やくそくだったのに」

テントがいうと、

「やくそくをやぶるとは、けしからんやつである」

テングコウモリの声がどなった。

「ぼくとテントはモグラのあなににげこんだ。モラっていう名のモグラで、しんせつに出口をおしえてくれた。モグラはぼくらのしんせきだからね。ところが、出口まで行かないうちに、ちがうあなにすいこまれ、くらやみの国におちてしまったんだ」

「しまったんだ、おちて」

「どうも話がうますぎるヅラ」

ウマヅラコウモリの声がどなると、

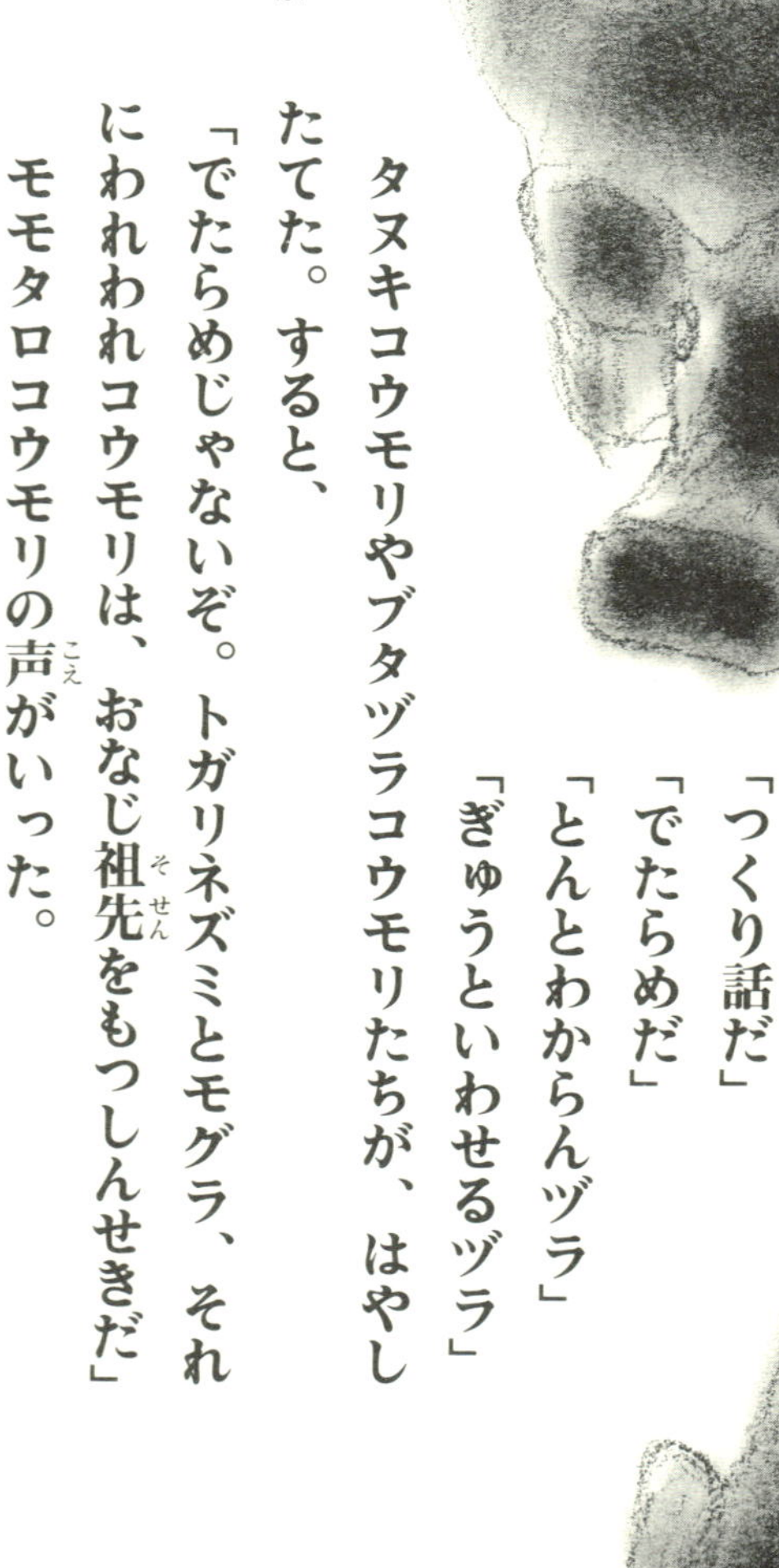

「モグラは
しんせきぃ？」

「つくり話だ」

「でたらめだ」

「とんとわからんヅラ」

「ぎゅうといわせるヅラ」

タヌキコウモリやブタヅラコウモリたちが、はやしたてた。すると、

「でたらめじゃないぞ。トガリネズミとモグラ、それにわれわれコウモリは、おなじ祖先をもつしんせきだ」

モモタロコウモリの声がいった。

「ぼくも、つくり話ではないように思う。そのカロン、カロリンという音、ゆうべ森できいたんだ」

モモジロコウモリの声がしずかにいった。

「ちょっとまってくれ。ぼくはさっき、その音をこの近くできいたぞ」

きゅうに思いだしたようにいったのは、

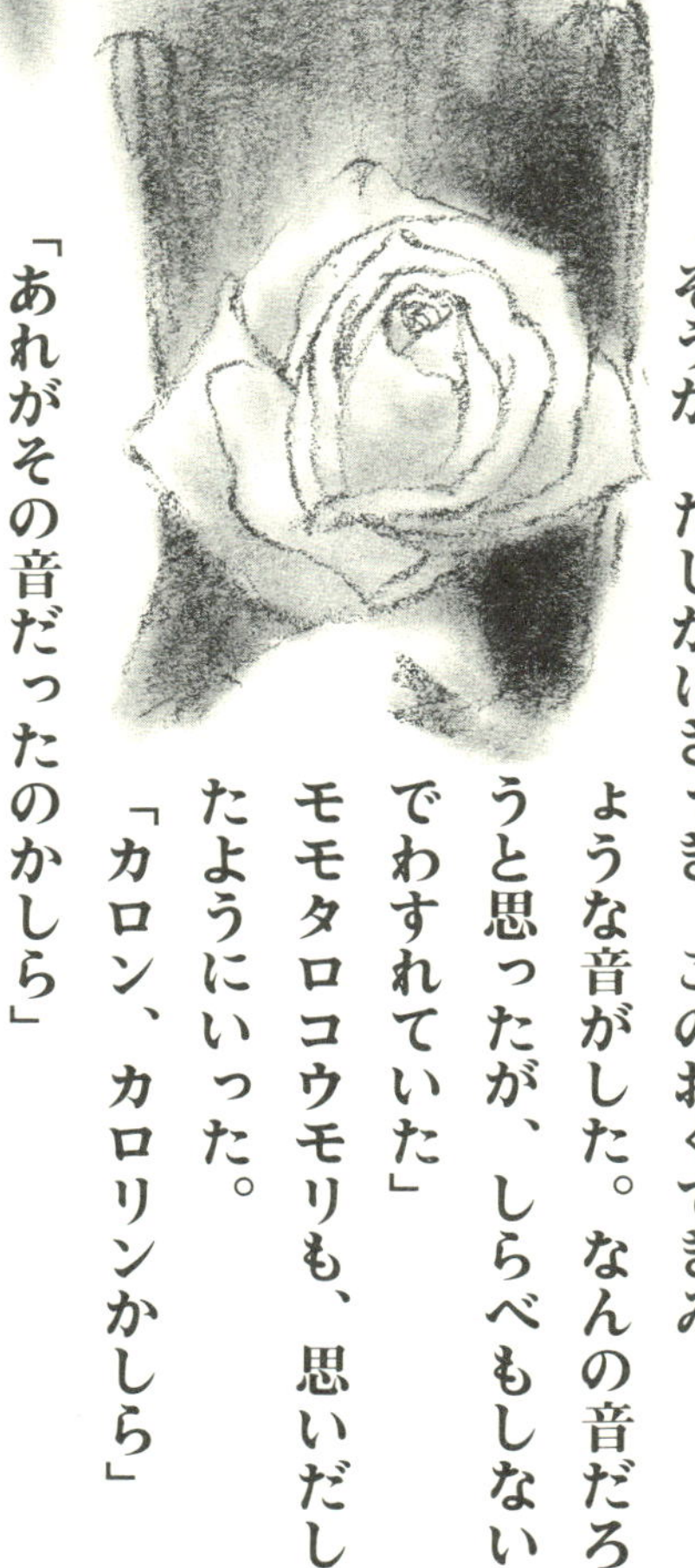

モモサブロコウモリの声だ。

「そうか、たしかにさっき、このおくできみょうな音がした。なんの音だろうと思ったが、しらべもしないでわすれていた」

モモタロコウモリも、思いだしたようにいった。

「カロン、カロリンかしら」

「あれがその音だったのかしら」

「あれがネコのすずだったのかしら」

キクガシラコウモリたちも、たがいにいいあった。

「そうだ、すずは岩と岩のあいだをころがって、くらやみの国までおちてきたんだ。カロン、カロリンという音が、地のそこにすいこまれるように、きえていったのをおぼえている」

わしは、あいつの首からすずがはずれころがりおちていったときのことを

思いうかべた。

「それなら、このくらやみの国のどこかに、そのすずとやらがあるはずである」

ふきげんにいったのは、テングコウモリの声だ。

「トガリネズミの話がほんとならば……」

ウサギコウモリの声がいうと、

「すずが見つかるまでは、しんようできねえヅラ」

ウマヅラコウモリの声が、うたがいぶかそうにいった。

「それではみんなで、そのすずをさがしてみよう」

モモタロコウモリの声だ。

「トガリィとテントは、ぼくがつれていこう」

モモジロコウモリの声が、すぐそばできこえた。いつのまにか、地面に

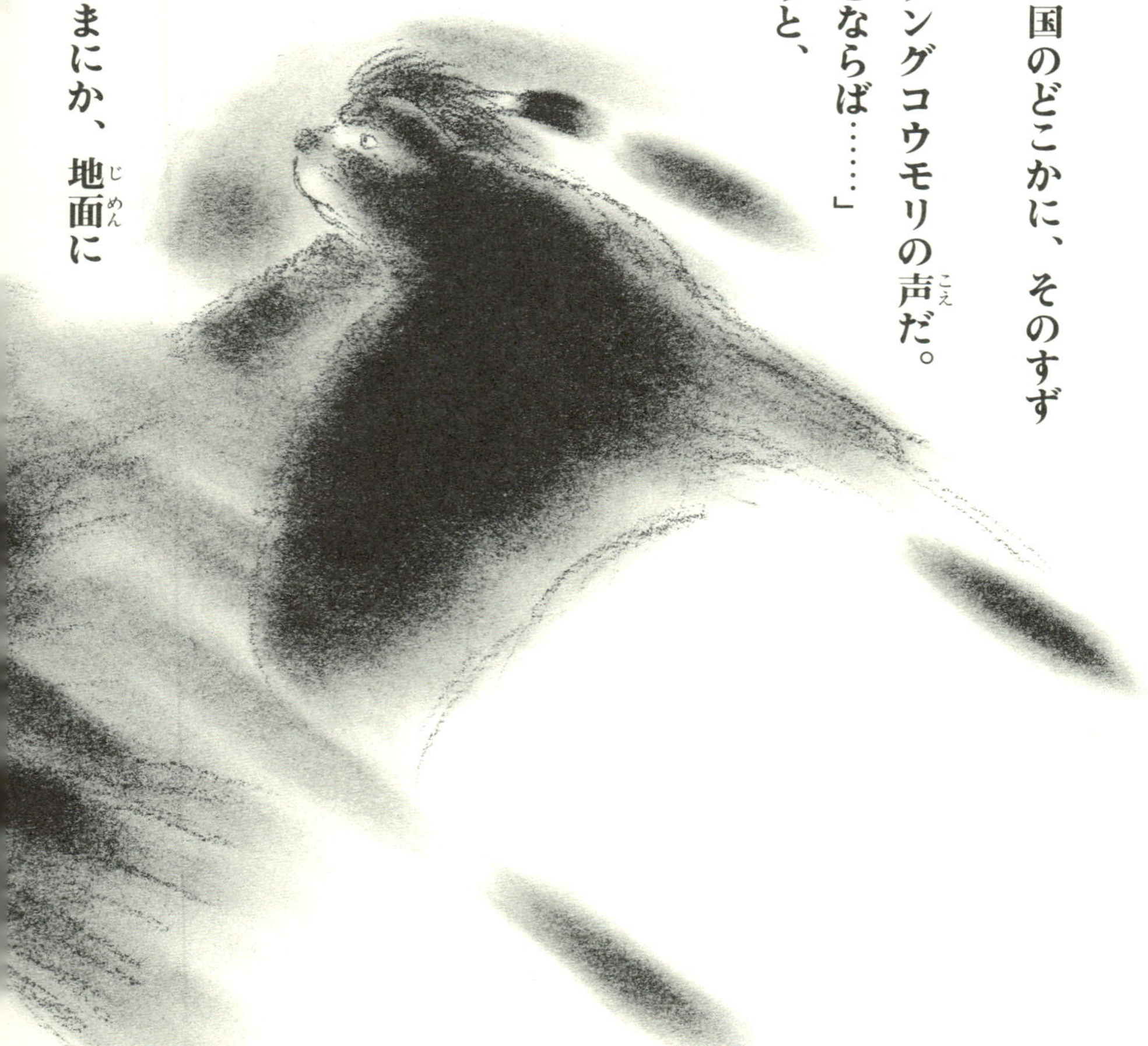

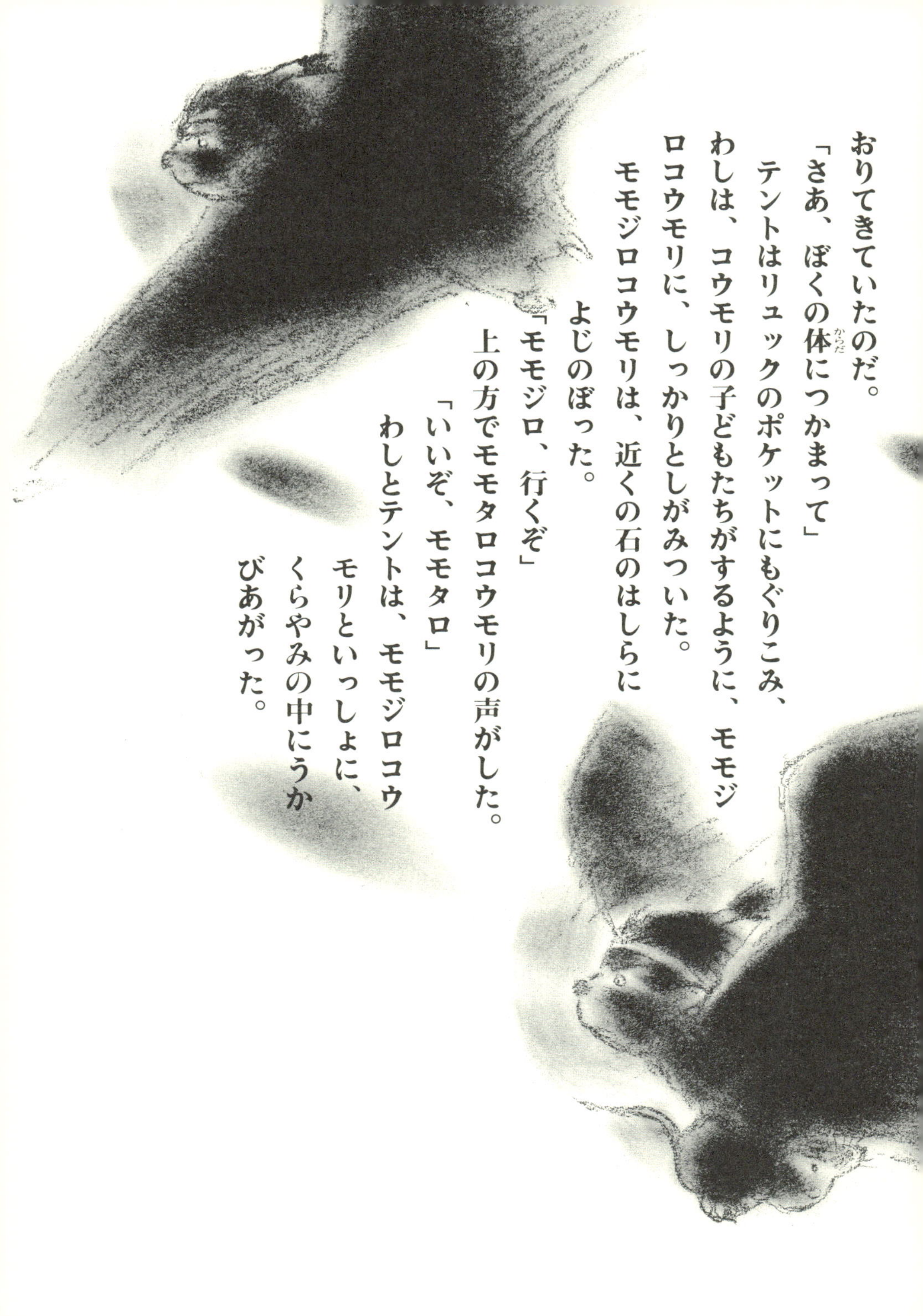

おりてきていたのだ。

「さあ、ぼくの体につかまって」

テントはリュックのポケットにもぐりこみ、

わしは、コウモリの子どもたちがするように、モモジロコウモリに、しっかりとしがみついた。

モモジロコウモリは、近くの石のはしらによじのぼった。

「モモジロ、行くぞ」

上の方でモモタロコウモリの声がした。

「いいぞ、モモタロ」

わしとテントは、モモジロコウモリといっしょに、くらやみの中にうかびあがった。

12　光の国へ

モモジロコウモリは、体を右に左にひねりながら、くらやみの中を風をきって飛んでいった。くらやみの国の石のはしらは、地面に立っているだけでなく、てんじょうからもたれさがっているらしい。モモジロコウモリはめまぐるしくむきをかえ、高さをかえて飛んでいった。

「どのあたりヅラ」
「地ごく滝の先かしら」
「そこなし池のむこうヅラ」
「千まいざらの近くかしら」
「地底広場だと思うよ」

すぐそばを、ほかのコウモリたちもいっしょに飛んでいく。地底のくらやみの国は、わしらのしらないふかくて広い世界であるらしい。

ずっと下の方から、あの音

がきこえてきた。ドドドオウーと、地面をふるわすおそろしい音だ。

「地ごくの底から吹きあがってくる、地ごく滝の音だよ」

モモジロコウモリが高くうかびあがり、きゅうに左にむきをかえた。

「ここは底なしの池。もしおちたら、どこまでもしずんで、二度とうかびあがることはできないのさ」

モモジロコウモリはしばらくまっすぐ飛んで、せまいどうくつをくぐりぬけた。

「ここは千まいざら、小さな池がたくさんならんでいるんだ」

モモジロコウモリは、水面すれすれに飛んだらしい。すぐ下で、ピチョンと水がはねる音がした。

「エビのやつさ。くらやみの国には、コウモリのほかにも、エビや魚やクモやいろいろな虫たちがすんでいる」

モモジロコウモリが右にむきをかえ、こんどはかべにはさまれたせまい谷間をとおりぬけた。前の方で、コウモリたちのさわぐ声がきこえた。

「あったぞ！」

「これがネコのすずかしら」

「すずヅラ、すずヅラ」

「カロン、カロリンと鳴るかしら」

「鳴らしてみるのである」

モモジロコウモリは、コウモリたちのむれの中にまいおりた。わしも地面におりた。

「トガリィ、すずを鳴らしてみてくれないか」

モモタロコウモリの声がいった。鼻でさぐると、かすかにあいつのにおいがした。手をのばすと、まるくてかたいあのすずがゆびさきにふれた。

「たしかにこれは、あいつのすずだ」

「すずだ、あいつの！」

テントは、いつのまにかリュックのポケットからでて、すずの上にのっていた。

「こっちがひくくなっている。ころがしてみてくれ」

モモサブロコウモリの声がきこえた。

「よし、おすぞ、テント」

テントがわしの頭の上にとびうつると、わしはモモサブロコウモリの声がした方にむかって、すずを力いっぱいおした。

カロン　カロン　カロン　カロリン
すずは、くらやみの国に大きな音をひびかせてころがった。

「おうーっ」

コウモリたちがそろって声をあげた。

「なるほど、なるほど、カロリンと鳴った」

ウサギコウモリの声がつぶやいた。

「トガリィの話はほんとうだった」

モモタロコウモリの声がほっとしたようにいった。

「ネコのことも、ほんとうかしら」

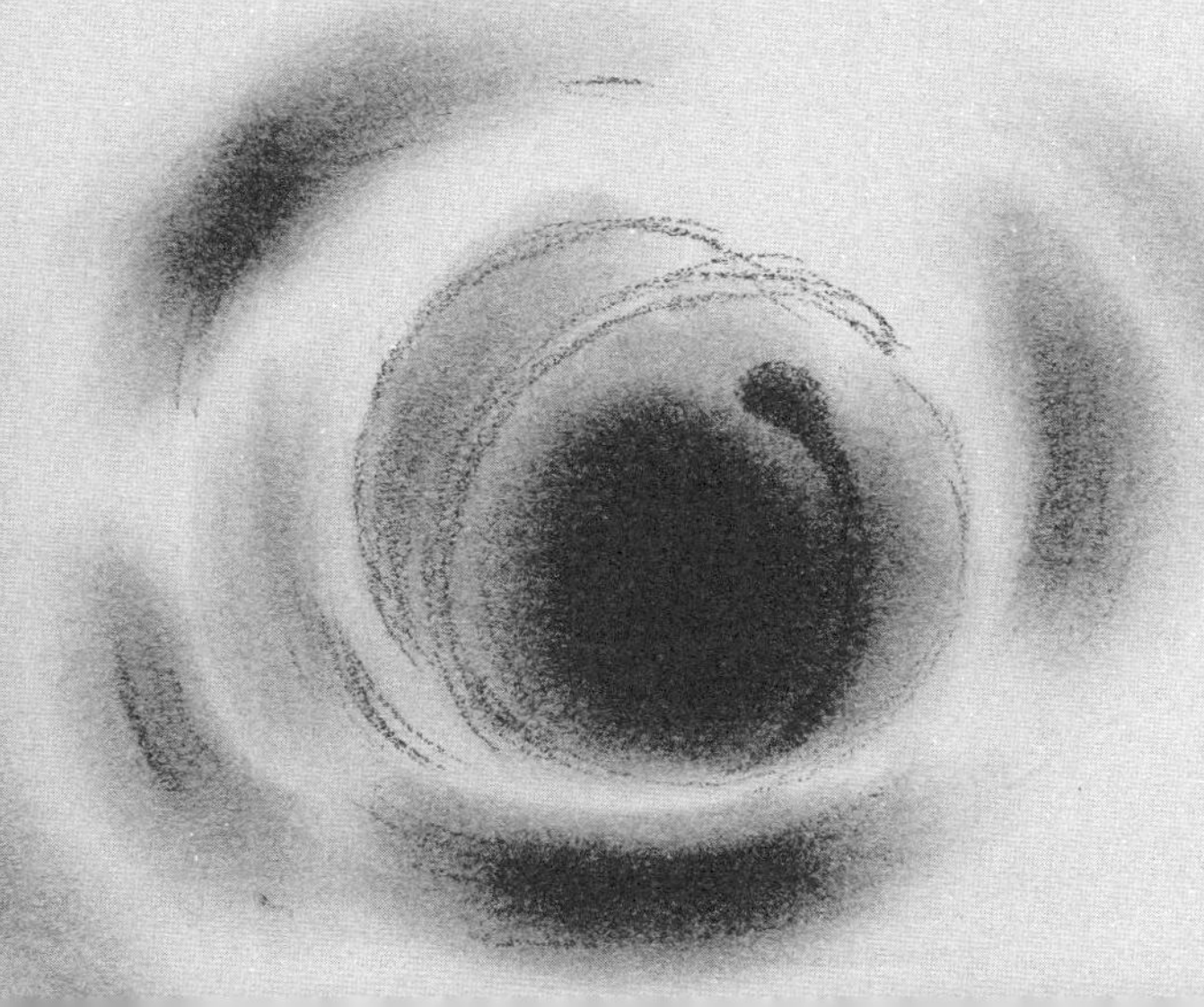

「すずをはずしてやったっていうのも、ほんとうかしら」

「まちがっておちたっていうのも、ほんとうかしら」

キクガシラコウモリたちの声がいうと、

「きっと、ほんとうの話だとぼくは思う」

「しんじてあげようぜ」

モモジロコウモリとモモサブロコウモリの声がいった。

「では、これにこりて、これからはきそくをまもるである」

テングコウモリの声がどなって、どこかへ飛(と)びさった。

「きそくはなによりだいじなものである」

オニコウモリが飛びさると、カッパコウモリも、ウホンとせきば

らいをひとつのこして飛びさった。

「ま、ウソじゃねえヅラ」

ウマヅラコウモリたちが、ウヘッ、ウヘッ、ウヘッとわらって飛びさると、

「おらたちも、行くか」

ウサギコウモリたちも、ウヒッ、ウヒッ、ウヒッとわらって飛びさった。

「みんなでうたがってすまなかった。ぼくたちが光の国へあんないしよう」

モモタロコウモリの声がいうと、

「さあ、ぼくの体につかまって」

モモジロコウモリの声がすぐ近くできこえた。

「テント、行こう」

テントがリュックにもぐりこんだのをたしかめて、わしはモモジロコウモリにしがみついた。モモジロコウモリは石のはしらによじのぼり、くらやみの中に飛び立った。

「もう、あえないのかしら」

ウホホ、ウホホ、ウホホ、キクガシラコウモリたちの声が、下の方へとおざかっていった。

いくつものせまいどうくつをくぐりぬけると、くらやみのむこうに、ぼんやり明るさが見えてきた。

「テント、そとにでられるぞ」

わしは思わずさけんだ。

「ここで、おわかれだ。ぼくたち光の国がにがてなんでね」

モモジロコウモリが地面におりた。出口から入ってくるわずかな光が、モモジロコウモリの顔を、くらやみの中にうかびあがらせた。思っていたのとはちがう顔が、わしを見つめていた。やさしい目だった。

「では、元気で」

モモジロコウモリがかべをのぼりはじめると、

「ぶじ、トガリ山のてっぺんに行けるように、いのっているよ」

上の方でモモタロコウモリの声がした。見ると、てんじょうに二ひきのコウモリがぶらさがって、わしたちを見おろしていた。きょうだいなのだろう。三びきともそっくりな顔だ。

「ありがとう、モモタロ、モモジロ、モモサブロ」

わしが手をふると、

「モモサブロ、モモジロ、モモタロ、ありがとう」

テントもリュックのポケットからでてきてさけんだ。

三びきのコウモリたちはそろって飛び立ち、すぐにくらやみの中にすいこまれすがたをけした。

わしは光にむかって、坂をゆっくりのぼっていった。

太陽（たいよう）の光（ひかり）はまぶしかった。しばらくなにも見えなかった。ゆっくりとそとにでると、風（かぜ）が吹（ふ）いてきて、あたりの草（くさ）をゆらした。草はらのいいにおいがした。わしは鼻（はな）をひくひくうごかして、光の国の空気を、むねいっぱいにすいこんだ。

「トガリ山！」

テントが頭（あたま）の上にのぼってきてさけんだ。目の前に

トガリ山がそびえ立っていた。見あげると、ひっくりかえってしまいそうだ。てっぺんにかかった白い雲が、左から右にむかって走ったかと思うと、すぐ近くまでおりてきて、また風といっしょにまいあがっていった。

「トガリィ、てっぺんつくって」

テントがうれしそうに、わしのてっぺんから飛び立った。

あふれる太陽の光の中を、赤トンボのむれが、しっぽをまっ赤にかがやかせて飛びかかっていた。

「かっこいい、モモタロコウモリたち」

クックが両手をこしにあてた。

「モモタロコウモリたちがしんじてくれたおかげで、たすかったんだね」

キッキがトガリィじいさんを見た。

「ひとの話をよくききもしないで、うたがうなんてひどいよ」

セッセが口をとがらせた。

「だまされないのも一人前だけど、ひとをしんじることができるのも、一人前ってことかもしれないね」

キッキが考えながらゆっくりといった。

「ね、おじいちゃん。この下にも、くらやみの国ってある?」

クックが地面をゆびさした。

「あるわけないだろ」

セッセが、びっくりしたように下を見ると、

「もしかしたら、あるかもしれないよ。オニコウモリやタヌキコウモリがすんでいる……」

キッキが、クックの顔をじっと見つめた。

「テングコウモリやウサギコウモリはほんとにいるけど、オニコウモリやタヌキコウモリなんて、ほんとはいないいんだぜ」

セッセが、ひとさしゆびをキッキの前につきだした。

「あたしは、この下にもくらやみの

国があって、カッパコウモリやモモタロコウモリがいたほうがおもしろいと思うな」

キッキが地面に耳を近づけた。

「おじいちゃんっていいな。バッタにものったし、ムササビにものったし、コウモリにものったんだ」

クックが両手を広げ、飛ぶまねをした。

「いいな、あたしも飛んでみたい」

キッキも両手を広げた。

「おれは、コウモリより、ウロロにのるほうがいいな」

セッセも両手を広げた。

「ね、おじいちゃん、そのあと、あいつはどうしたの」

クックが立ちあがった。

「あいつ、すずがとれたら、ほんとに山ネコになれるのかな」

セッセがうでぐみをした。

「あたしはむりだと思うな。なんだかあいつ、山の動物たちとはちがうもん」

キッキがしんぱいそうにいった。

「フライドチキンスパゲッテ、ハンバーガッガッソーセージー」

クックが手をうしろにくんで、トガリィじいさんのまわりをひとまわりした。

「あいつがほんとうに山ネコになったら、ウロロやチムチムやホシガラスたち、食われてしまうかもしれな

いぜ」

　セッセが目と目のあいだにしわをよせた。

「きっとあいつ、山をおりてノラネコにもどって、ときどきカイネコになったりして生きてるんじゃない」

　キッキがトガリィじいさんを見た。

「うむ、わしはそれから、二度とあいつにあうことはなかったが、山をおりていくすがたを見たものがいたそうだよ。あいつのことだ、きっとどこかで、たくましくじょうずにくらしていると思うよ」

　トガリィじいさんがうなずいた。

「さて、こんやはもうおそい。つづきはまたあした」

トガリィじいさんが立ちあがった。

「よし、コウモリになって飛(と)んでかえろう」

キッキも立ちあがった。

「ちょうおんぱだしていこうぜ」

「耳で見るんだ」

セッセとクックが目をつむった。

「あたし、タンポポガシラコウモリ」

「おれ、クマヅラコウモリ」

「えーと、ぼく、ムササビコウモリ」

三びきは、ヒイッ、ヒイッ、ヒイッと、かすかな音をだしながら、くらい夜(よる)の森に飛(と)びだしていった。

いわむら かずお

1939年東京に生まれる。東京藝術大学工芸科卒業。

1975年東京を離れ、家族とともに栃木県益子町に移り住む。

「14ひきのシリーズ」（童心社）や「こりすのシリーズ」（至光社）など多くの作品が、フランス、ドイツ、中国、スイスなど多くの国でもロングセラーとなり、世界のこどもたちに親しまれている。

『14ひきのあさごはん』（童心社）で絵本にっぽん賞、『14ひきのやまいも』で小学館絵画賞、『ひとりぼっちのさいしゅうれっしゃ』（偕成社）でサンケイ児童出版文化賞、『かんがえるカエルくん』（福音館書店）で講談社出版文化賞絵本賞、エリックカールとの合作『どこへ行くの？ To See My Friend!』（童心社）でピアレンツ・チョイス賞（アメリカ）受賞。

1991年日本各地の森や山を歩き取材を重ねた「トガリ山のぼうけん」シリーズがスタート、1998年全8巻完結。

1998年栃木県那珂川町に「いわむらかずお絵本の丘美術館」を設立。絵本・自然・こどもをテーマに活動を続けている。

「ゆうひの丘のなかま」シリーズ（理論社）「ふうとはな」シリーズ（童心社）「カルちゃんエルくん」シリーズ（ひさかたチャイルド）などは、美術館のある「えほんの丘」に暮らす生きものたちを主人公に描いた作品である。

2014年、フランス藝術文化勲章シュヴァリエを受章。

＊本書は1991年〜1998年に刊行された「トガリ山のぼうけん」シリーズ（全8巻）の新装版です。

トガリ山のぼうけん⑥
あいつのすず 新装版

2019年10月 初版
2019年10月 第1刷発行

文・絵 いわむらかずお
ブックデザイン 上條喬久
発行者 内田克幸
編集 岸井美恵子
発行所 株式会社理論社
東京都千代田区神田駿河台二-五
電話 営業 03-6264-8890
編集 03-6264-8891
URL https://www.rironsha.com
印刷・製本 中央精版印刷株式会社

ISBN978-4-652-20346-0
NDC913 A5判 22cm 175p

トガリ山のぼうけん（全8巻）

いわむらかずお

第①巻『風の草原』
第②巻『ゆうだちの森』
第③巻『月夜のキノコ』
第④巻『空飛ぶウロロ』
第⑤巻『ウロロのひみつ』
第⑥巻『あいつのすず』
第⑦巻『雲の上の村』
第⑧巻『てっぺんの湖』